LES MAUVAIS COUPS

24/10

£2.50
G

ŒUVRES DE ROGER VAILLAND

Aux Éditions du Sagittaire :

LES MAUVAIS COUPS, roman.

Aux Éditions Buchet-Chastel :

BON PIED BON ŒIL
325.000 FRANCS, roman.
DRÔLE DE JEU, roman (Prix Interallié 1945).
HÉLOÏSE ET ABÉLARD, drame en 3 actes (Prix Ibsen 1950).
UN HOMME DU PEUPLE SOUS LA RÉVOLUTION, récit historique, en collaboration avec Raymond Manevy.

Aux Éditions Sociales :

LE SURRÉALISME CONTRE LA RÉVOLUTION, pamphlet.
DIEU S'EST FAIT AMÉRICAIN, lettre de Rome.

Chez Jacques Haumont :

QUELQUES RÉFLEXIONS SUR LA SINGULARITÉ D'ÊTRE FRANÇAIS, essai.
ESQUISSE POUR LE PORTRAIT DU VRAI LIBERTIN, essai.
LA BATAILLE D'ALSACE.

Chez Gallimard :

LA LOI.

Parus dans Le Livre de Poche :

DRÔLE DE JEU.
325.000 FRANCS.
LA LOI.
BON PIED BON ŒIL

ROGER VAILLAND

Les mauvais coups

SAGITTAIRE

CHAPITRE PREMIER

Le réveil sonna. Milan pressa la poire et l'ampoule s'alluma au-dessus du lit. Il arrêta la sonnerie. Roberte dormait sur le dos, elle ronflait légèrement.

Milan souleva le drap et toucha l'épaule nue. Roberte cessa de ronfler. Elle s'agita mais ne se réveilla pas. Maintenant elle lui tournait le dos. Il remit la main sur l'épaule et la secoua.

« Roberte! » appela-t-il.

Il s'assit sur le lit et la regarda. Les paupières étaient boursouflées et les poches sous les yeux striées de veinules bleues; ils avaient pris une fameuse cuite, la veille au soir. Elle ouvrit un œil.

« Laisse-moi », dit-elle.

Elle se tourna d'un côté sur l'autre puis ramena le drap autour de ses épaules. Le souffle aussitôt redevint régulier.

Milan sauta du lit, alla jusqu'à la fenêtre et poussa les volets. Le jour n'était pas levé. La pâle clarté dans laquelle se découpaient les silhouettes des peupliers provenait de la lune en son dernier quartier. Le brouillard qui montait du vallon s'arrêtait un peu au-dessous du mur de la terrasse. Au-dessus, la nuit était limpide, avec toutes ses étoiles. Un oiseau de nuit ulula.

Milan pensa au hibou encagé qu'ils avaient découvert en plein midi, au creux d'un buisson, dans le jardin zoologique de Porto, quinze ans plus tôt, au début de leur amour. La cage était dorée, très haute et ornée de volutes dans le style manuélin. Chaque fois que le vent écartait les branches, le soleil tombait en plein sur les yeux nus du hibou, les plumes du cou se hérissaient et l'oiseau torturé frémissait jusque dans son duvet. Roberte était restée fascinée, puis elle s'était mise à trembler. A Lisbonne, elle avait été attirée et terrifiée par les mendiants atteints d'éléphantiasis; plus tard, certains Picasso l'avaient émue de la même manière. Milan l'avait tant aimée d'avoir accès au monde des métamorphoses.

Le froid la réveilla.

« Ferme la fenêtre, dit-elle.

— Lève-toi. Rappelle-toi le vol de canards qui s'est abattu hier soir sur la Prairie. Ils dorment encore, mais ils s'envoleront avec le jour, il faut qu'ils nous trouvent à l'affût. Dépêche-toi.

— Vas-y tout seul!

— C'est le premier passage de l'année, nous ne devons pas le rater. »

Elle ne bougea pas.

« Les canards, continua-t-il, sont en avance sur la saison. Il est rare qu'il en passe avant l'équinoxe...

— L'équinoxe, dit-elle sourdement, l'équinoxe de tes quarante ans, tu ne penses plus qu'à cela. »

Elle ouvrit les yeux et fronça méchamment les sourcils. Deux plis dirigés vers le bas prolongèrent la commissure des lèvres. Milan regarda la bouche amère de sa femme.

« Oh! non », protesta-t-il, et il passa la main, pour les effacer, sur les deux plis.

« Je veux dormir », dit Roberte.

Il continua de caresser le visage.

« Je suis fatiguée, dit-elle, je suis tellement fatiguée.

— C'est toi qui as proposé hier que nous allions à la chasse ce matin.

— Je n'en ai plus envie. »

Il s'éloigna du lit et claqua la langue. Elle connaissait bien les modes d'expression de ses contrariétés.

« Va, mais va, dit-elle. Le soleil n'est pas levé et tu piaffes déjà. »

A son tour, il la regardait méchamment.

« Moi, continua-t-elle, j'ai plutôt envie de me jeter dans la mare, avec une pierre au cou. »

Elle referma les yeux.

Milan alla jusqu'à la table, prit la bouteille de

marc, remplit le petit verre à liqueur, le versa dans le grand verre. Il recommença deux fois. Il revint vers le lit.

« Bois », dit-il.

Roberte prit le verre et le fit tourner au-dessus d'elle, dans la lumière de la lampe de chevet.

« Combien? demanda-t-elle.

— Trois dés. »

Elle fit encore tourner le verre.

« Non. Il n'y en a que deux.

— Trois. Je te le jure! Regarde bien. »

Elle avala d'un trait.

« Je vais préparer les fusils », dit-il.

Il passa dans la pièce voisine et sortit de leurs gaines, le 12 millimètres pour elle, le 20 millimètres pour lui. Il tria des cartouches et mit de côté le plomb de 2 et le plomb de 4 pour les canards. Mais il chargea les fusils avec du 6, pour le cas où ils lèveraient des ramiers en descendant vers la rivière; cela arrivait. Il ne poussa pas le cran d'arrêt du fusil de Roberte; elle était si émue en voyant le gibier qu'elle oubliait d'armer au moment de faire feu, elle perdait complètement la tête quand détalait une belle pièce.

Quand il revint dans la chambre, Roberte était assise sur le lit. Son visage s'était recomposé, les plis avaient disparu du coin des lèvres, les veinules des yeux n'étaient plus que de petites stries roses. Elle venait d'allumer une cigarette. D'un geste vif, elle écarta les cheveux de son front et lui sourit.

« Je vais faire le café », dit-elle.

Même l'hiver, elle dormait nue. Il suffisait d'un peu d'alcool pour qu'elle ne fût pas frileuse. Après les grandes cuites, il lui arrivait dans son sommeil de repousser les couvertures à grands coups de pied et de continuer de dormir jambes et ventre à l'air, quel que fût le froid. Elle sauta du lit et il la regarda traverser la chambre d'un pas résolu. Elle est trapue, les fesses sont carrées, les hanches droites, la poitrine musclée; ces corps-là ne s'abîment pas, le visage se fane avant que les seins ne tombent.

« J'attends que tu m'appelles », dit Milan.

Elle passa sa robe de chambre et sortit. Il l'entendit descendre l'escalier puis écouta les bruits qui montaient de la cuisine. Il s'étendit sur le lit, alluma une cigarette; elle avait un sale goût, il l'éteignit. Il eut froid et alla fermer la fenêtre. Il s'approcha de la table et versa trois petits verres de marc, trois dés, dans le grand verre. Il avala d'un trait, s'étendit et guetta le mieux-être.

Quand Milan descendit, la porte du poêle était ouverte et le pain en tranches fumait devant les braises. Il tendit les mains à la brûlure et huma la bonne odeur. Roberte jeta une demi-louche d'eau bouillante sur le café pour le faire gonfler. Puis elle ne versa plus que très peu d'eau à la fois afin qu'elle filtrât lentement. Elle mettait toujours beaucoup de soin à préparer le café.

« Dépêche-toi, dit Milan. Regarde. »

Par la fenêtre ouverte vers l'orient, il désigna une tache laiteuse à l'horizon.

« C'est la lune, dit-elle.

— Non. C'est l'aube. Nous allons rater nos canards.

— Va devant.

— Je t'attends », dit-il.

Il l'attira par les épaules et la serra contre lui.

« Horrible Milan », dit-elle.

Elle le regarda en souriant, puis embrassa ses lèvres.

« Dépêche-toi, dit-il.

— Va chercher mes bottes, ma veste de cuir et mon pantalon de velours. »

Il alla pour sortir.

« Tu n'as encore rien bu? demanda Roberte.

— J'en boirai deux avant de partir.

— Descends la bouteille, parce que moi j'en boirai encore deux. »

Il revint avec les bottes, les vêtements, la bouteille et les deux verres. Le café était servi. Ils étendirent le beurre sur les tartines brûlantes, une partie fondit et le reste, par contraste, fut frais à leur bouche. Ils mangèrent avec beaucoup de plaisir.

« Est-ce que je remplis la gourde? demanda Roberte.

— Non, répondit Milan. Si nous buvons toute

la matinée, nous serons ivres à midi et nous dormirons jusqu'au soir. Je ne veux pas passer ma vie à dormir.

— Comme tu veux », dit-elle.

Tout était encore silencieux dans la ferme voisine. Le coq n'avait pas chanté. Le chien vint les reconnaître, puis fila vers sa niche. Ils tournèrent tout de suite dans le chemin de terre et longèrent deux fermes où les chiens aboyèrent. Ils portaient le fusil en bandoulière et marchaient vite, sans parler. Le chemin s'enfonça entre deux talus et commença à descendre vers les fonds. La lune et l'aube permettaient de distinguer dans les haies les aubépines des reines-vinettes et des prunelliers. Ils arrivèrent près d'un vallon que le chemin traversait à découvert.

« Doucement! » dit Milan.

Il fit glisser le fusil le long du bras et le prit à deux mains, prêt à épauler.

« Je n'ai jamais vu même un merle dans ce creux-là », dit Roberte.

Ses bottes martelaient la partie empierrée du chemin, entre les deux ornières.

« Doucement! insista Milan, on ne sait jamais. »

Elle ralentit et se mit à marcher comme lui, sur la partie herbue du chemin, à l'extérieur des ornières.

Juste comme ils abordaient le vallon, deux gros oiseaux le traversaient en oblique, d'un vol lent, mal distincts sur le ciel encore noir au zénith.

« Des ramiers! haleta Roberte.

— Non », dit Milan.

Il tira. La détonation résonna dans le grand silence de l'aube. L'un des oiseaux tomba doucement, en feuille morte, dans un pré, l'autre poursuivit son vol. Milan épaula de nouveau, mais les deux ailes sombres s'étaient déjà fondues dans l'ombre du ciel; il abaissa son fusil.

Roberte avait couru dans le pré. Elle revint avec l'oiseau mort entre les mains.

« Qu'il est beau! » dit-elle.

L'oiseau est gris et bleu avec trois gouttes de sang au bas du col, il porte une frange de plumes très fines, presque du duvet. Roberte souffle doucement sur la frange qui se creuse comme une prairie au printemps sous le vent du sud. Elle pose les lèvres sur le cou qui est encore brûlant. Elle relève la tête :

« Ce n'est pas un ramier.

— Rien qu'un geai.

— Ce n'est pas du gibier.

— On mange les geais, leur chair est aussi tendre que celle du pigeon.

— Tu as bien tiré.

— Oui, dit-il, ils volaient haut.

— Bravo, dit-elle, mon Milan tire bien! »

C'était la première année qu'elle chassait et tout cela l'excitait prodigieusement.

Il caressa le ventre de l'oiseau.

« C'est le mâle, dit-il.

— Est-ce sa femelle que tu as laissée échapper?

— Probablement. Elle doit s'inquiéter. Elle n'est sûrement pas loin. »

Il scruta le ciel du vallon.

« Regarde! »

Deux ailes sombres battaient lentement dans le brouillard ombreux, autour d'un bouquet d'arbres, à cinquante mètres en contrebas du chemin. Il fit sauter la douille et chargea une cartouche de 6 dans le canon droit de son fusil.

« Allons doucement nous cacher sous les arbres, nous pourrons peut-être la tirer. »

Roberte regarda la femelle qui tournait d'un vol irrégulier autour du boqueteau. Elle s'élevait, puis se laissait tomber au ras du sol. Les ailes battaient très vite, puis de nouveau très lentement.

« Laissons-la », dit Roberte.

Ils reprirent le chemin qui traversait le vallon à distance du boqueteau. Milan avait remis le fusil en bandoulière.

« J'ai fait un cauchemar, dit-il. Je me débattais contre un grand oiseau qui tentait de me crever les yeux. Je me suis réveillé en hurlant.

— Je ne t'ai pas entendu, je m'étais endormie trop ivre. Par bonheur. Cette fois, tout de même, tu n'as pas essayé de m'étrangler. Il n'y a pas beaucoup de femmes qui voudraient dormir avec toi...

« ... Moi aussi, j'ai fait un cauchemar. Tu étais dans la maison de mon père. Je venais t'y rejoindre. Tu m'as regardée en haussant les sourcils.

« — Que viens-tu faire ici? » m'as-tu demandé.

« J'ai eu si peur que je ne pouvais plus bouger.

« Tu as continué :

« — J'ai une nouvelle amie. Elle est belle, elle
« est comme j'aime, je l'aime. »

« Tu étais à l'aise, dur, indétournable, comme tout à l'heure quand tu étais tellement décidé à aller à la chasse. Je te déteste. Mais dans mon rêve je ne te détestais même pas. J'aurais voulu crier, mais je ne pouvais pas, tellement mon sang battait fort dans ma gorge.

— Bien sûr », dit Milan.

Le chemin suivait la dernière petite crête avant la descente vers la rivière. Tout l'horizon oriental était maintenant blanc et bleu.

« Pendant des années, dit Milan, j'ai fait un rêve, toujours le même et qui ressemble au tien comme un frère. J'entrais dans un bar ou dans une boîte de nuit, je t'y trouvais, tu riais avec un homme, tu me le présentais :

« — ... Mon nouvel amant », disais-tu.

« Tu le prenais par le bras, vous vous éloigniez et je ne voyais plus que deux ou trois fois ton visage, c'était quand tu te renversais sur son épaule pour rire.

— Ce rêve, demanda Roberte, tu ne le fais plus jamais?

— Non, répondit Milan.

— Evidemment », dit Roberte.

Le chemin maintenant descendait droit vers la rivière. Déjà l'eau suintait des bas-côtés herbus et les ornières devenaient boueuses. Les arbres des haies étaient plus hauts et plus touffus.

« Tiens-toi prête à tirer, dit Milan, le gibier d'eau vient parfois jusqu'ici. »

Elle mit son fusil sur son bras replié. Ils marchèrent en silence.

« Tout à l'heure, dit soudain Roberte, nous aurions mieux fait de tuer aussi la femelle. C'eût été plus humain. »

Milan chantonna :

Femme d'ouvrier, mère de cinq enfants,
Elle se consacrait aux soins du ménage...

« C'est vrai, dit-elle, je suis une femme comme dans les chansons réalistes.

— Oui, dit-il, une pocharde. Je te retrouverai un jour à la sortie du métro Maubert-Mutualité, tu sais, place Maub', assise sur le trottoir avec deux litrons de rouge.

— Je finirai comme cela. »

Un grand oiseau brun traversa le chemin, d'une haie à l'autre, à cinquante mètres d'eux, sans qu'ils eussent le temps de distinguer à quelle espèce il appartenait.

« Tais-toi, dit Milan. Tu parles si fort que le gibier s'enfuit avant même que nous l'ayons aperçu.

— Chtt! dit-elle, voilà le chêne. »

Après un dernier tournant, le chemin se termine au pied d'un gros chêne qu'ils connaissent bien. Aussitôt après, un peu en contrebas, c'est la Prairie que traverse la rivière. Souvent des ramiers gîtent pour la nuit dans le gros chêne; il est facile de les tirer si on les surprend dans leur sommeil; ils dorment posés sur une grosse branche, droits sur leurs pattes, la tête à peine inclinée sur le cou; on les croirait éveillés. Roberte eût été si heureuse de tuer un ramier. Milan s'arrête, la laissant s'avancer la première.

Roberte se glisse à pas feutrés le long de la haie, puis, d'arbuste en arbuste, gagne le pied du chêne, accole le tronc et, la tête renversée, le fusil épaulé à la verticale, elle scrute chaque branche l'une après l'autre. Pas le moindre ramier. Elle fait un grand signe à Milan pour qu'il la rejoigne. Puis, côte à côte, d'abord sur les genoux, enfin en rampant, ils s'approchent des derniers buissons, ceux qui surplombent la Prairie, et lèvent lentement la tête entre les branches.

La Prairie, au-dessous d'eux, est tout entière recouverte d'un brouillard blanc et dense qui étale une surface plane, impénétrable, du pied des buissons jusqu'au bas de la colline sur l'autre bord de la rivière. Ainsi le gel fait d'un étang une seule masse compacte et lisse. Au-dessus, le ciel s'éclaircit d'instant en instant, il est maintenant blanc et bleu jusqu'au zénith.

Il n'y a pas un souffle de vent. Roberte et Milan suspendent leur souffle.

Quelque chose se défait soudain dans l'air et c'est comme une fraîcheur sur leur visage. Des feuilles frissonnent aux extrémités du chêne, c'est un bruissement presque imperceptible.

« Nous ne verrons rien dans le brouillard, dit Roberte, pourquoi m'as-tu fait lever si tôt?

— Tais-toi. Ne bouge pas. »

Un instant encore et le brouillard se lève d'un seul coup sur toute l'étendue des herbages. Quelques pans soyeux dansent dans l'air. Quelques traînes duveteuses s'accrochent, l'espace d'une seconde, à la cime des herbes. Déjà la Prairie est nue, fraîche comme après la pluie, heureuse et détendue, avec ses grandes mares sans rides où se reflètent les petits nuages roses de l'orient.

« J'aime cela, dit Milan. C'est comme une fille qui se déshabille.

— Vieux Milan », dit Roberte.

Ils allèrent d'abord d'est en ouest, en longeant les buissons qui séparent les herbages des terres, lui marchant dans les terres, elle dans la Prairie.

Ils firent ensuite trois cents mètres du nord au sud, de chaque côté d'un bief, en visitant chaque touffe de roseaux. Puis ils se glissèrent précautionneusement dans une cabane construite par des chasseurs de canards, à quelque cinquante mètres d'une grande mare. Ils se trouvèrent alors face à l'est, ce qui était une faute puisqu'ils allaient avoir le soleil dans l'œil. La cabane était destinée à épier au crépuscule les canards qui viennent se poser sur la mare pour dormir.

Ils s'assirent côte à côte sur le banc d'affût et allumèrent chacun une cigarette. Le soleil se leva. Ils surveillaient la mare et regardaient le soleil monter à l'horizon. Un ramier fut soudain au-dessus d'eux, ils le tirèrent presque à la verticale et le manquèrent. Les coups de feu firent lever trois canards qui dormaient dans les roseaux de la mare et qui s'envolèrent bruyamment vers l'est, au ras du sol, sans que Roberte ni Milan, qui suivaient des yeux le ramier, eussent le temps de les ajuster. Ils prirent de la hauteur à l'extrémité de la Prairie, décrivirent une grande courbe puis revinrent d'est en ouest mais en suivant l'autre bord de la rivière et trop haut pour qu'on pût les tirer. Beaucoup plus loin enfin, à l'endroit où la rivière se jette dans le fleuve, ils obliquèrent vers le sud.

« Tu vois! » dit Milan.

Il fit sauter la douille.

« Il faut savoir ce qu'on fait, dit-il encore. Quand on chasse le canard, on ne tire pas les ramiers. On ne se met pas à l'affût avec le soleil dans l'œil. Ce n'est pas sérieux. On ne chasse pas avec sa femme, quand on sait qu'elle ne fait rien sérieusement. De vrais chasseurs rigoleraient en nous voyant. J'aime le travail bien fait. Ça me fait honte quand des professionnels se moquent de moi. J'ai honte de la honte que j'aurais si un vrai chasseur nous voyait. Quand je fais quelque chose avec toi, je finis toujours par avoir honte de moi.

— Crois-tu, demanda Roberte, que s'il y avait eu d'autres canards dans la Prairie, nos coups de fusil les auraient fait s'enfuir?

— On ne peut pas savoir.

— Peut-être en reste-t-il qui dorment encore?

— Pas sur cette mare, à deux pas de nous. Mais peut-être sur d'autres mares ou dans les biefs qui traversent le bois.

— Peut-être, dit Roberte. Sûrement. J'aurais trop de peine si nous avions gâché d'un coup toutes nos chances de tuer des canards ce matin. »

Ils se dirigèrent vers le bois.

« Le ramier allait vite, dit Roberte.

— Bien sûr. Les ramiers ont un vol très rapide. C'est pourquoi, quand on les tire, il faut toujours viser un peu en avant. Mais nous étions mal placés.

— J'ai compris, reprit-elle, pourquoi on appelle ramiers les ramiers. C'est parce qu'ils rament —

avec leurs grandes ailes sombres — ils rament silencieusement comme des champions. Les canards ne savent pas ramer, ils font du bruit, comme des canoteurs du dimanche. Le ramier est passé comme le Vaisseau fantôme.

— Je t'adore, dit Milan.

— Moi aussi », dit-elle.

Dans le bois, ils se séparèrent. Roberte alla se mettre à l'affût des ramiers sous un bouquet de chênes. Milan s'engagea dans une coupe inondée qu'il suivit jusqu'à la rivière; il eut de l'eau jusqu'à mi-bottes, mais il ne vit que des corbeaux. Il posa son fusil et s'étendit sur un talus herbeux, un peu en surplomb de la rivière. Pas un souffle ne ridait l'eau; le courant était si lent qu'une branche flottante mit plusieurs minutes à passer.

Il alluma une cigarette, elle avait le même sale goût qu'au réveil, il la jeta dans la rivière, elle s'arrêta quelques mètres en aval contre une feuille de nénuphar.

Une rousserolle fit craquer des herbes sèches. Elle se déplaçait verticalement le long des tiges puis s'immobilisa à la cime d'un roseau et le regarda. Il battit des paupières. L'oiseau s'envola.

Un gros chevesne remonta la rivière, très lentement, presque en surface. Milan se souleva doucement sur le coude pour le suivre des yeux. Le chevesne vira d'un brusque coup de queue et disparut dans les profondeurs.

Le soleil venait de dépasser la ligne des saules quand Roberte rejoignit Milan. Comme il n'avait pas entendu de coup de feu, il ne lui posa pas de questions. Ils longèrent ensemble la rivière vers l'amont, puis ils battirent pendant deux heures toute la partie de la Prairie à l'ouest de l'affluent. Ils ne levèrent aucun gibier. Ils remontèrent l'affluent jusqu'au pont qui se trouve à l'intérieur des terres, puis ils battirent la Prairie à l'est de l'affluent, en direction de la grande haie qui la coupe en deux. Ils ne levèrent que des corbeaux. Roberte remit le fusil en bandoulière.

« Sale pays, dit-elle, on ne vient pas chasser dans un pays sans gibier.

— Ce n'est pas encore la saison des canards, dit Milan.

— Et tous les lièvres ont été tués le jour de l'ouverture!

— Les paysans qui travaillent toute la journée dans les champs savent où gîtent les lièvres. Ils ont un avantage sur nous.

— Et l'année est mauvaise pour les perdrix!

— Cet hiver, dit Milan, au moment des grands passages de canards, nous irons sur le fleuve. Nous chasserons avec une canardière et nous ferons de tels massacres que tu en seras dégoûtée. Et puis viendront les oies sauvages, c'est le plus beau gibier; l'année dernière, Laurent en a tué treize, sept dans la même matinée, à la veille des grandes gelées.

— Si nous allions ce soir à Aix? dit Roberte.

— Non, dit Milan.

— J'ai envie de tenter notre chance à la roulette.

— Non.

— J'ai plus de chance à la roulette qu'à la chasse.

— Mais moi, dit Milan, je n'ai pas de chance à la roulette.

— Tu n'auras qu'à ne pas jouer.

— Si nous allions au casino, je jouerais aussi.

— La route est belle, dit Roberte. En partant à six heures, nous serons à Aix pour dîner.

— Non. Je ne veux pas perdre en une soirée l'argent que nous dépensons ici en un mois.

— Nous resterons un mois de moins.

— Non. Je veux passer l'année tout entière au village.

— Tout le cycle des saisons, dit ironiquement Roberte.

— Je n'en céderai rien. Pour la première fois de ma vie, j'ai gagné assez d'argent d'un seul coup pour pouvoir vivre au village tout le cycle des saisons. J'y rêvais depuis l'enfance. J'y tiens.

— Mais je gagne toujours à la roulette.

— Non.

— Si tu perdais, tu n'aurais qu'à emprunter de l'argent à Louvet.

— Louvet ne me prêtera rien. Il n'est pas

d'accord pour que je reste tout un an sans rien faire.

— Tu arrives toujours à trouver de l'argent.

— Je ne veux pas avoir à en chercher. »

Ils marchèrent quelques minutes en silence et arrivèrent à vingt mètres de la haie.

« Tu es un salaud, dit Roberte.

— Bien sûr.

— C'est vrai », insista-t-elle.

Ils s'arrêtèrent face à face.

« Ça suffit », cria-t-il.

Juste à ce moment, deux canards s'envolèrent bruyamment de la haie. Ils virèrent tout de suite et s'élevèrent rapidement. Ils étaient déjà haut quand Roberte et Milan tirèrent. Ni l'un ni l'autre ne furent touchés.

« C'est bien ta faute! s'écria Milan.

— J'étais sûre qu'on ne lèverait plus rien.

— J'en ai assez », gronda-t-il.

Milan s'assit dans l'herbe mouillée, fronça les sourcils et ne bougea plus.

Roberte s'approcha.

« Mon pauvre Milan! » dit-elle gentiment.

Elle resta un moment debout près de lui. Puis de sa gibecière elle sortit une gourde qu'elle lui tendit.

« Tu l'as quand même emportée! dit-il.

— J'ai bien fait.

— As-tu déjà bu pendant que tu étais toute seule dans le bois?

— Juste deux dés. »

Il prit la gourde et avala une grande lampée de marc. Il lui rendit la gourde et elle but à son tour.

« Allons-nous jusqu'à la Mare aux Tanches? demanda Milan. C'est le dernier espoir qui nous reste de lever encore quelque chose.

— Je suis fatiguée », dit-elle.

Ils retournèrent vers leur maison. En chemin, ils découvrirent une grive immobile dans une haie, à dix mètres d'eux. Milan laissa Roberte tirer. Elle visa juste. Mais ils avaient oublié, en quittant la Prairie, de changer pour du plomb plus divisé; les gros grains de plomb firent balle et il ne resta plus de la grive que le bec pendant au bout d'un fragment de cou et un œil rouge parmi de petites plumes ébouriffées et sanglantes.

Mme Radiguet était debout sur le seuil de la ferme dont la demeure des Milan avait jadis été la maison de maître. Pour entrer dans le jardin qui précède le perron, il faut d'abord traverser la cour de la ferme.

Roberte courut à la fermière et l'embrassa :

« Bonjour, Radiguette!

— Bonjour, madame Radiguet, dit Milan.

— Alors? demanda Radiguette.

— Un geai et une grive! répondit Milan. Nous pourrons bientôt ouvrir un musée des oiseaux de la région.

— Vous faites de drôles de chasseurs », dit Radiguette.

Elle réfléchit un instant.

« Bien sûr, ajouta-t-elle, vous vous amusez...

— Radiguette! cria Roberte, ne dis pas cela. Il me le reproche déjà assez!

— Nos hommes, continua Radiguette, ne savent pas s'amuser.

— Ils ne savent pas encore, dit Milan.

— Eux aussi, ils pourraient s'amuser. Depuis la guerre, nous avons gagné un peu d'argent. Ça ne durera pas, c'est déjà fini, les ravitailleurs ne viennent plus. Tout de même, maintenant, nous avons un peu d'argent. Nous avons peut-être même plus d'argent que vous? »

Elle regarda attentivement Milan.

« C'est probable, dit-il. Nous, nous dépensons tout ce que nous gagnons à mesure.

— Je m'en doutais.

— Ça se voit.

— Nous, reprit-elle, si notre cheval crève, il faut pouvoir le remplacer. Enfin, même s'il nous faut racheter un cheval, il nous restera un peu d'argent. Mais même maintenant, Radiguet ne sait pas prendre de plaisir...

— Le plaisir, dit Milan, c'est comme un métier. Cela s'apprend, mais peut-être faut-il commencer très jeune. »

Mais elle poursuivait sans l'écouter :

« ... il lui arrive bien de boire un coup. Quand il a son plein, il rentre et se couche. Il n'est pas méchant quand il est soûl.

— Ce n'est pas comme Milan, interrompit Roberte.

— Toi, tais-toi, dit Radiguette, tu ne connais pas ton bonheur.

« Radiguet se soûle le samedi soir ou les jours de marché. Mais il ne sait pas se donner du plaisir comme vous le faites tous les deux... par exemple, en allant à la chasse pas tellement pour tuer du gibier que pour vous amuser.

— C'est parce qu'il vend le gibier qu'il tue, dit Roberte.

— Un lièvre qui vaut douze cents francs, comment ne pas le vendre? »

Radiguette se mit à rire, elle tapa sur l'épaule de Roberte.

« ... le lièvre, mon petit, c'est trop bon pour nous.

— La première chose, dit gravement Roberte, c'est de ne jamais croire que quelque chose est trop bon pour soi.

— Roberte a raison, dit Milan.

— Il faudra que j'apprenne, dit la fermière.

— Ah! s'écria Roberte, tu apprendras à manger tes lièvres!

— Toi, répondit Radiguette, il n'y a pas besoin de t'apprendre.

— Allons, dit Milan. J'ai faim. C'est l'heure de déjeuner. »

Pendant qu'ils traversaient le jardin :

« Je l'aime beaucoup, dit Milan.

— Moi aussi, dit Roberte. Elle est comme moi, elle sait tout de la vie.

— Elle en sait bien davantage. Tu n'as pas été domestique de ferme à huit ans.

— J'ai été vingt ans dans la dépendance de ma putain de mère.

— Tu n'as pas été placée comme bonne à tout faire, dans les beaux quartiers de Paris, juste le temps d'attraper la vérole avec un inconnu, à la sortie du bal Wagram.

— J'ai été cinq ans dans la dépendance de mon maquereau de frère.

— Tu n'as pas trimé tout le reste de ta vie, à la ferme et aux champs, pour avoir à cinquante ans juste assez d'économies pour acheter un cheval et demi.

— C'est bien pire. Je suis maintenant dans ta dépendance... Ah! j'en sais bien plus qu'elle.

— Peut-être », dit Milan.

....

Après le repas, ils burent l'un et l'autre deux dés, puis ils firent la sieste. Ils se réveillèrent à six heures. Roberte prépara du café très fort. Milan prit le tome VIII de la traduction des *Mille et une Nuits* par le docteur Mardrus et commença la lecture de *Dalila la Rouée*. Quand Roberte jugea que le café devait avoir fait son effet :

« Nous allons à Aix? demanda-t-elle.

— Non, répondit Milan.

— Comme tu veux. »

Elle décida d'aller faire des achats au village, qui est à 1 500 mètres de leur demeure, un peu en contrebas, à la limite de la Prairie. Elle prit la voiture. Milan, qui aime marcher au crépuscule, lui promit d'aller à pied au-devant d'elle. Avant de partir, elle but trois dés.

Roberte s'arrêta d'abord à la mairie, pour renouveler les cartes d'alimentation.

« Bonsoir, madame Milan, dit l'institutrice adjointe qui est aussi secrétaire de mairie.

— Bonsoir, mademoiselle Hélène. »

La jeune fille prit les cartes.

« Vous resterez encore longtemps parmi nous?

— Encore quelques mois.

— Les vacances sont finies.

— Mon mari fait ce qu'il veut », dit Roberte.

Hélène a les cartes d'alimentation sous les yeux.

« M. Milan est artiste, dit-elle.

— Il est décorateur.

— Il fait des décors de théâtre?

— Non. Il décore des appartements.

— Ah! oui », dit Hélène.

Roberte rit.

« Il ne colle pas les papiers sur les murs, dit-elle. C'est lui qui choisit les meubles, qui décide de la couleur des tapis et des tentures, qui trouve des idées pour les éclairages. Vous voyez?

— Je n'imaginais pas que ce pût être un métier... »

Roberte rit encore. Puis :

« Ce n'est peut-être pas en effet un vrai métier », dit-elle.

Puis encore :

« Il a fait toutes sortes de métiers avant de faire celui-là. Il a même écrit dans les journaux. Mais il n'a jamais fait de vrai métier. Je crois bien qu'il n'est pas sérieux.

— Il a l'air intelligent, dit Hélène.

— Il est intelligent.

— Vous avez de la chance, dit encore Hélène.

— Ce n'est pas facile de vivre avec lui.

— Il doit savoir tellement de choses. Il vous parle toute la journée. Vous ne devez jamais vous ennuyer.

— Il lui arrive d'être méchant.

— Oui?... s'étonne Hélène. Nous avons pourtant bien remarqué qu'il vous laissait faire tout ce que vous vouliez. On ne l'imagine pas vous faisant des reproches.

— Ce qu'il me reproche, dit Roberte, c'est d'exister. »

Hélène rend les cartes.

« Ce genre d'homme, dit-elle, est certainement difficile à conserver... »

Elle réfléchit. Puis :

« ... moi, je ne parviendrais pas à le garder huit jours.

— Sûrement pas, répond Roberte, il faut savoir. »

Leurs regards se rencontrent.

Les yeux d'Hélène sont bleu foncé, comme le foulard qu'elle porte sur la tête, noué par-derrière, à la manière des paysannes d'Europe orientale. Les paupières sont lisses et délicates comme il n'arrive qu'aux très jeunes filles — elle n'a pas vingt ans, elle vient d'être nommée dans le village —, le regard est droit et sans défense; on dit qu'elle a le regard franc.

Les pupilles de Roberte sont noires dans une prunelle noisette, elles ne cessent de se contracter et de se dilater; maintenant, elles se contractent; le regard est dur.

Hélène baisse les yeux. Elle pose la main sur un livre couvert de papier paille, près du registre pour les cartes d'alimentation.

« Qu'est-ce que vous lisez? demande Roberte.

— *Germinal,* de Zola. Je l'ai pris à la bibliothèque de l'école. Ici, je ne trouve de livres qu'à l'école.

— Il aime *Germinal,* dit Roberte.

— Mais je l'ai déjà lu. Il y a très peu de livres

à l'école. Je les ai déjà tous lus. Enfin, je les relis.

— Il faudra venir en emprunter à la maison. Mon mari a beaucoup de livres.

— Oui? Vous voulez bien?

— Il adore conseiller les lectures des jeunes filles... »

Hélène lève son regard clair vers Roberte.

« ...c'est un très bon conseiller, continue Roberte. Etes-vous libre ce soir?... Venez après dîner, nous ne bougerons pas de toute la soirée. Nous vous attendons. Au revoir, mademoiselle Hélène. »

....

Milan cependant a terminé la première partie du conte : « ...et c'est ainsi que, dans Bagdad, Dalila la Rouée obtint par son adresse et ses artifices la charge si honorable de la direction des pigeons. Le jour même, elle prit le commandement des quarante nègres, et, habillée d'habits d'homme et la tête coiffée d'un casque d'or, elle se rendit à cheval auprès du calife, pour prendre ses ordres. » Il ferme le livre, sort du salon par la porte-fenêtre et va s'accouder à la balustrade de la terrasse. Devant lui, le pays plat s'étend tout d'un trait jusqu'aux montagnes, à l'horizon, qui précèdent Aix. Il a plu pendant qu'il faisait la sieste; il hume l'odeur de terre mouillée qui monte de la pâture au-dessous de la terrasse.

Radiguet apparaît sur la gauche. Il brandit un bâton et pousse des appels sourds. Il est carré, roux, il a des taches de rousseur, il marche bien d'aplomb, Roberte dit qu'il ressemble à un paysan écossais.

Quatre vaches, un veau et le cheval qui est roux comme ses cheveux passent devant lui. Il les pousse avec son bâton, sauf le cheval auquel il donne au passage une grande tape amicale sur les cuisses. Il vient jusqu'au pied de la terrasse.

« Salut! crie Milan.

— Bonsoir! crie Radiguet.

— Et la Blonde? »

L'écho renvoie : « l'onde ».

« Elle fera le veau cette nuit, elle est restée à l'étable.

— Appelez-moi! crie Milan.

— Quoi? demande Radiguet.

— Appelez-moi. J'irai vous aider.

— Il sera sans doute tard.

— Appelez-nous quand même. »

Milan rentre dans le salon et boit deux dés, puis encore deux dés. Il prend sa canne; c'est un bâton de houx passé au feu, comme en portent les maquignons, avec à la tête un lacet de cuir qu'on serre autour du poignet. Il traverse le jardin et sort par la porte de derrière, pour traverser le pré sous la terrasse, ce qui est un raccourci pour rejoindre le chemin du village. Radiguet est parti. Les vaches viennent vers Milan qui les écarte avec son bâton. Le cheval fait un temps de galop du côté de la mare. Des grenouilles sautent. Le jour baisse. Une lampe brille dans la ferme. « Je suis heureux », pense Milan.

Il s'engage dans le chemin empierré qui longe le bas du pré. Il jette au passage un regard amical sur un champ de pommes de terre qui appartient aux Radiguet et qui a été si souvent sarclé, butté et arrosé d'arséniate que, malgré la saison avancée, les plants sont encore verts et vigoureux; il se réjouit de la belle récolte promise à ses amis. Plus bas, près du Pont-aux-Chèvres, c'est le pré de Bourret, bordé de saules où les tourterelles faisaient leur nid léger d'herbage, au moment de la fenaison, quand Milan arriva de Paris. Puis le chemin monte et longe le domaine de Rateau, un négociant du chef-lieu, qui est venu s'installer au village au lendemain de la Libération, qui va à la messe et qui s'occupe du patronage; pour toutes sortes de raisons, les Milan et les Rateau ne se saluent pas. Tout de suite au-delà du domaine, c'est la maison d'Auguste, le jardinier de Rateau. Auguste est sur le pas de sa porte.

« Salut! crie Milan au passage.

— Entrez donc boire un verre de gnôle, propose Auguste.

— Je n'ai pas le temps », dit Milan.

Mais il se détourne pour aller serrer la main d'Auguste.

« Je n'ai pas le temps, répète-t-il, je vais au-devant de Roberte.

— Mme Milan est une vraie femme, dit Auguste, une femme qui vaut un homme.

— Bien sûr, répond Milan.

— Moi, continue Auguste, je suis tout seul. Ce n'est pas gai d'être tout seul dans sa maison.

— Ce n'est pas toujours gai d'être deux...

— Ce n'est pas gai d'être tout seul dans son lit, insiste Auguste.

— Sacré Auguste! dit Milan.

— Je ne sais pas y faire avec les femmes, dit Auguste. J'ai de trop grosses pattes. »

Il soulève à hauteur des yeux de Milan ses deux mains qui sont énormes et, comme il vient juste de rentrer, encore couvertes d'une croûte de terre séchée.

« Mais, dit Milan, il y a sûrement au village plus d'une jeune fille qui serait contente de se marier avec vous.

— Celles qui voudraient de moi, répond Auguste, moi je ne veux pas d'elles. J'en veux une jeune, toute douce, toute fraîche, rondelette, j'en veux une tendre, monsieur Milan, une vraie poulette.

— Quel âge as-tu?

— Quarante.

— Comme moi. Enfin, je les aurai dans deux semaines, le premier jour de l'automne. Toi et moi, nous sommes conscrits. Quarante ans, Auguste, c'est l'âge où l'on est aimé des jeunes filles.

— Pas au village, monsieur Milan. Il faut savoir comment les choses se passent par ici. Une mignonne, une délicate, une qui rit avec les yeux (ça vous serre le cœur), une qui se moque de vous en montrant les dents et en secouant les cheveux, une vraie belle, tout le monde la veut. C'est bien normal, c'est tellement beau une belle fille. Elle n'a que l'embarras du choix. Alors elle prend un homme qui lui fera la vie facile, un fonctionnaire, un employé de banque, un gendarme ou bien le fils d'un propriétaire, — enfin, un homme qui ne l'obligera pas à travailler, qui la laissera dormir tant qu'elle voudra, qui ne se fâchera pas si, à midi, en rentrant du travail, il la trouve encore au lit; il se réjouira, au contraire, en pensant qu'elle est toute chaude sous les draps.

— Toute chaude, répète Milan.

— Mais elle ne veut pas d'un jardinier qui n'a même pas de terre à lui, qui cultive le jardin des autres, qui l'obligera à se lever à l'aube pour faire la soupe et soigner les bêtes, qui lui demandera même, par les grandes sécheresses, de l'aider à arroser. D'un homme qui lui ôtera, en un an, dix ans de jeunesse.

« Ici, monsieur Milan, les plus belles sont comme des plumes, comme du duvet, le vent les emporte tout de suite et, pour des hommes comme moi, il ne reste plus que les os. Je ne veux pas d'un os.

— Je te trouverai une plume, dit Milan.

— Vous boirez tout de même une goutte?

— Sur le pas de la porte, alors... Ainsi nous pourrons guetter Roberte et lui faire signe au passage. »

Auguste entre dans la maison, puis ressort avec deux verres de marc. Ils trinquent.

« A la russe », dit Milan.

Et il vide le verre d'un seul coup.

« Vous buvez bien, dit Auguste.

— Ça dépend des périodes. Je ne bois pas quand je travaille.

— Vous ne devez pas travailler souvent. Un autre verre?

— Bien sûr », dit Milan.

Auguste rentre et ressort.

« Voilà les punaises », dit-il.

Milan se retourne. Mme Rateau passe entre ses deux filles. Toutes trois sont en deuil, la mère dans une houppelande noire, les filles dans des tailleurs étriqués, les cheveux roulés en un chignon bas enveloppé d'une résille violette. La mère marche tête haute, le menton relevé; elle a aperçu Milan, elle se raidit au passage. Les deux filles vont les yeux baissés.

« Tu n'en voudrais pas, dit Milan.

— Je ne voudrais pas d'une bigote, répond Auguste.

— C'est rance.

— C'est plat, c'est mince, c'est mou. L'aînée a vingt-huit ans, elle n'est pas plus formée qu'une gamine de douze ans.

— Nécessairement. Des filles qu'on ne baise pas...

— Et avares! Elles essaient toujours de rabioter sur les heures. La vieille est encore plus dure que le patron.

— Il ne bat pas grand-chose d'humain sous une poitrine plate.

— Moi, dit Auguste, j'aime les gros nichons.

— Il y a toutes sortes de nichons, dit Milan. Les petits aussi sont bien excitants... Quand ils sont bien ronds ou encore en forme de poire.

— Moi, j'aime les gros.

— Il suffit qu'ils emplissent la main.

— Oui, dit Auguste. Mais toi, tu as de petites mains. »

La lueur d'un phare blanchit les peupliers à la cime du chemin, elle s'efface puis réapparaît plus proche.

« Voilà Roberte », dit Milan.

Les deux phares se rapprochent. Milan se met au milieu du chemin et agite le bras. La voiture ralentit, oblique et vient s'arrêter tout contre la maison.

« Bonsoir, madame Milan! dit Auguste.

— Bonsoir, dit Roberte. Avez-vous vu les trois souris?

— Nous étions en train d'en parler.

— Je les ai croisées au tournant. Elles tenaient le milieu du chemin. J'ai failli les écraser.

— Ça n'aurait pas fait une bouillie bien riche pour les chats.

— Je crois bien que la vieille m'a insultée. Si j'en étais sûre, je ferais demi-tour, je la rattraperais et je lui donnerais la fessée.

— Vous vous feriez mal aux mains, c'est du raccorni.

— Je vais la rattraper! »

Elle desserre le frein, embraie, commence de rouler.

« Suffit, dit Milan, voilà une demi-heure que je t'attends.

— Ça me plairait, dit Auguste, de voir Mme Milan fesser la Rateau.

— Ça ferait encore des histoires, dit Milan. Je suis en vacances. »

Il s'assied à côté de Roberte.

« Rentrons », dit-il.

La voiture fit un bond en démarrant.

« Tu es ivre? demanda Milan.

— Non, dit Roberte. J'ai juste bu deux pastis à l'auberge. C'est la Rateau qui me soûle.

— Fais le tour par la nationale. Les ornières du Pont-aux-Chèvres se sont encore approfondies. »

Sur la nationale, ils firent du cent dix à l'heure, l'espace de cinq cents mètres. Puis Roberte freina à fond pour prendre à angle droit le chemin de terre qui mène à leur maison.

« Double débrayage, dit Milan, passe en seconde et accélère dans le virage.

— Merde », dit Roberte.

La boîte de vitesses grinça et la roue arrière gauche fit une embardée sur le talus herbeux.

« Merde », répéta Roberte.

Elle accéléra à fond et la voiture bondit sur la crête des ornières. Milan ne dit plus rien. Elle resta en seconde et ils arrivèrent dans un bruit de tonnerre devant la porte de la ferme. Quand ils furent rentrés :

« J'ai invité, dit Roberte, la nouvelle institutrice à passer la soirée avec nous.

— Tu as bien fait. On la dit sympathique.

— C'est une môme, elle n'a pas vingt ans.

— Radiguet m'a dit qu'elle a parlé samedi dernier, à la réunion du syndicat agricole. Elle paraît solide.

— Elle vient pour t'emprunter des livres... Tu vas pouvoir faire ta putain.

— Elle a le regard droit.

— Ça ne prouve rien, dit Roberte. Ce sont souvent les plus rouées. »

CHAPITRE II

« ROBERTE et moi, raconte Milan, nous nous sommes rencontrés pour la première fois, il y a juste quinze ans, dans la nuit du 9 au 10 septembre 1932... »

Milan est étendu sur l'un des divans du salon; il fume sans arrêt, allumant la nouvelle cigarette à celle qu'il vient d'achever. Roberte est accoudée au piano à queue qui est désaccordé et dont ils ne se servent jamais; elle aussi fume sans arrêt.

Hélène est assise sur une chaise, près de la table, le coude posé près de la pile de livres que Milan lui a choisis au début de la soirée. Elle se tient droite, un peu raide. Elle porte une robe en tissu imprimé et une veste en cuir rouge. Elle n'est pas maquillée, mais comme elle a accepté deux fois deux dés de marc et n'a pas l'habitude de boire, ses joues sont enflammées. A la lumière, ses yeux bleu violet virent au bleu vert, « comme les prés, le soir, après la pluie », pense Milan. Elle a d'abord refusé les cigarettes qu'on lui offrait, mais, après minuit, elle en demandera à plusieurs reprises.

« ... j'étais rentré chez moi vers deux heures du matin, poursuit Milan. En ce temps-là, je commençais à travailler à sept heures et je devais d'abord traverser tout Paris en métro pour rallier l'agence de presse et de publicité où je gagnais ma vie. Il me restait à peine quatre heures pour dormir et j'avais passé une soirée maussade chez des amis que je n'aimais plus. J'étais si fatigué qu'avant de me déshabiller, je m'étendis un instant sur mon lit. J'essayais d'imaginer la journée du lendemain pour y découvrir quelque perspective de bonheur ou tout au moins de plaisir, mais tout mon horizon se limitait aux efforts que je devrais faire dans l'après-midi pour ne pas m'endormir. Un de mes amis s'était récemment suicidé pour de nobles motifs. J'étais en train de penser que si jamais je me suicidais, ce serait le matin au réveil, un matin où je n'aurais ni le courage de me lever, ni celui d'affronter les conséquences d'une absence au lieu de mon travail.

— Tu es devenu moins ponctuel, interrompt Roberte.

— Je craignais le chômage, le manque d'argent.

— Moi, dit Roberte, je n'aurais jamais accepté de me lever tous les matins à six heures. Surtout l'hiver quand il fait encore nuit.

— J'avais la peur panique de manquer totalement d'argent. J'imaginais très concrètement ce que cela veut dire : c'est le moment où la dernière chemise s'effrange au col et aux poignets.

— Tu n'avais pas le goût de l'aventure, dit Roberte. C'est moi qui te l'ai enseigné.

— Je suis le fils de petits-bourgeois. Mon grand-père était un paysan émigré à Paris et mon père géomètre-expert, honnête et sans imagination dans son métier. Un matin, j'avais dix ans, ma mère m'envoya acheter de la moutarde chez l'épicier du coin. « Pour combien? » me demanda l'épicier. « Je ne sais pas, répondis-je, un pot de moutarde. » Il me vendit un grand pot qui coûtait quarante sous. « Deux francs de moutarde, s'écria ma mère, « es-tu fou? Tu nous prends pour des million-« naires. » Elle me le reprocha pendant deux ans. Plus tard, je la pris en haine de mettre des gants et un chapeau pour aller au marché. J'avais tort; elle était fille de contremaître, elle tenait aux signes extérieurs de son accession à la bourgeoisie comme à une garantie de ne jamais retomber dans le sort le plus commun. A l'adolescent que je fus, la condition des travailleurs manuels apparaissait à la fois enviable, car je souffrais de la solitude bourgeoise et redoutable, car j'étais persuadé qu'elle exige un entraînement en quelque sorte natif et que pour ma part je n'avais pas assez de vigueur pour en affronter les rudesses et les incertitudes. Je ne me croyais pas non plus capable de devenir chef d'industrie ou spéculateur; c'est que le goût de l'aventure, à notre époque, est réservé aux fils de grands bourgeois qui, parce qu'ils ont vu des brasseurs d'argent à la table familiale, ne sont pas persuadés, comme je l'étais, qu'il faille un don spécial pour les grandes affaires. A vingt-cinq ans, c'était déjà pour moi l'aventure que d'avoir rompu avec ma famille, de refuser de faire carrière et de contracter de petites dettes à chaque fin de mois.

— Petit-bourgeois! s'écrie Roberte.

— C'est ce que je dis. Et comment de la graine d'ortie naîtrait-il autre chose que des orties? La merveille de la nature humaine, c'est qu'à force de lucidité et de patience, un homme-ortie puisse se transformer en chardon... ou en froment. Enfin, cette nuit-là, j'étais maussade comme une ortie sur un terrain vague.

« Soudain, j'entendis crier mon nom sous la fenêtre. J'habitais au cinquième étage. Je me penchai sur le balcon, j'aperçus quatre silhouettes dans l'ombre de la maison. « Qui est-ce? » criai-je.

« Le nom qui me revint était celui d'une fille d'Amérique, venue à Paris par goût de la liberté. Nous nous étions aimés l'année précédente et nous avions gardé l'un pour l'autre une sorte de complicité tendre. Je lui criai de monter.

« Quatre jeunes femmes entrèrent en riant. L'une d'elles était Roberte.

« Ce sont des camarades, me dit mon amie. Nous

« avons passé la soirée en garçons. Nous avons
« visité toutes les boîtes du quartier. En passant
« sous tes fenêtres, j'ai vu de la lumière. Je leur
« ai dit que tu es bienveillant et quelquefois
« drôle... Qu'as-tu à boire? »

« Roberte et moi, nous avons été amants dès cette nuit-là.

— C'est vrai, dit Roberte.

— Elle était partie avec ses amies, vers trois heures du matin. Dix minutes plus tard, on sonna à ma porte. J'allai ouvrir. « C'est moi », dit-elle. Elle gagna ma chambre et se déshabilla. Pendant les six mois qui suivirent, nous ne nous sommes jamais quittés plus de quelques heures par jour. Nous sommes encore ensemble.

— Vous l'aviez aimé dès le premier instant? demande Hélène à Roberte.

— Beaucoup de choses m'avaient déplu, répond Roberte. Il n'est pas beau, je m'en moquais. Mais il n'était même pas net, les ongles noirs, la chemise douteuse, les cheveux mal coupés et la peau grise...

— C'était, interrompt Milan, la pauvreté et le manque de sommeil.

— ... pendant l'heure que nous avions passée chez lui, il avait essayé de flirter et je l'avais repoussé. Une fois sortie, j'ai eu envie d'être près de lui. J'en avais la gorge sèche. C'est exactement comme quand on a besoin d'alcool et qu'il n'y en a plus à la maison.

— Ah! oui, dit Hélène.

— Non, dit Milan, non. Roberte n'était pas ivre. Elle ne buvait jamais d'alcool dans ce temps-là, pas même de vin. Elle sortait beaucoup, mais, dans les bars, elle commandait du lait cru. C'est une forte nature. Il faut beaucoup de vigueur et d'amour de la vie pour, sans boire d'alcool, prendre quand même plaisir à fréquenter les bars.

— C'est toi qui m'as appris à boire, dit Roberte.

— Non, dit Milan, c'est Octave.

— C'est à cause de toi.

— Qui est Octave? demande Hélène.

— Un ivrogne, répond Roberte. Il en est mort.

— Cette nuit-là et les jours qui suivirent, continue Milan, ce qui m'émut le plus en Roberte, ce fut sa prodigieuse aisance. Aucune des femmes que j'avais jusqu'alors connues n'eût été capable de revenir avec autant de simplicité, ni de se déshabiller avec une aussi totale absence de pudeur. Pas une seule fois, elle ne s'inquiéta de savoir quel jugement je pouvais formuler à son égard et, pour ma part, le soupçon ne m'effleura même pas qu'elle pût être ce qu'on appelle une femme facile. « Seules, pensais-je, les duchesses en leurs siècles « furent capables d'une telle liberté, mais le temps « des duchesses est passé et les bourgeoises mar-« chandent le plaisir qu'elles convoitent en dispu-« tant pièce à pièce la lingerie qui les couvre. Les « riches Américaines peut-être? Non, puisqu'elles

« ne croient sauver leur dignité qu'en payant leur « amant. » Que vous dirais-je encore? Roberte ne fit pas un geste, ne dit pas un mot où elle ne fût tout entière et rien qu'elle-même. Je n'avais jamais connu d'être moins divisé. Il y avait entre elle et tout le reste des humains, la même différence qu'entre les animaux sauvages et les animaux domestiques; toute démarche d'un chien est un compromis entre sa propre loi et la loi de son maître, mais j'ai essayé d'élever en cage un levraut dont j'avais tué la mère, il s'est fracassé la tête contre la paroi de sa prison, incapable de transiger avec la loi intime qui lui ordonnait de courir les chaumes et de fuir à perdre haleine, au moindre bruit. C'est ce que j'appelle l'intégrité des bêtes sauvages. La première vertu que je me plus à reconnaître en Roberte fut l'intégrité.

— Depuis lors, dit Roberte, tu m'as domestiquée.

— Bien sûr, dit Milan, tu ne vis pas dans la jungle, tu vis dans ma maison. Aussi bien m'étais-je trompé; cette intégrité-là, quand il s'agit d'humains, est nécessairement une mystification.

— Pourquoi êtes-vous méchant? demande Hélène.

— A la quinzième année, répond Milan, ce genre d'histoire tourne au cauchemar et les spectateurs sont bien obligés de s'en apercevoir. »

Roberte remplit un petit verre.

« Un dé de marc? propose-t-elle à Hélène.

— Bien sûr, répond Hélène.

— Bien sûr, répète Roberte en riant... Tu vois, dit-elle à Milan, elle a déjà pris tes tics de langage.

— Quoi? demande Hélène.

— Rien, mon petit, rien, répond Roberte.

— Vous me faites un peu peur tous les deux, dit Hélène.

— Ce matin-là, poursuit Milan, lorsque je partis pour mon travail, Roberte venait de s'endormir. Je me penchai sur elle. Un souffle léger faisait à peine frémir les narines. Le visage était détendu. Pas un pli sur les joues lisses et rondes et les paupières non pas closes mais doucement posées sur les yeux comme la brume matinale sur les eaux. Seuls les enfants très jeunes dorment avec autant d'abandon. Je m'émerveillai qu'un être qui venait de manifester tant d'autorité et tant de flamme et qui était capable, j'en étais déjà sûr, des plus grandes cruautés, pût à l'instant recomposer dans le sommeil toute l'innocence et toute la pureté de l'enfance. Mais il est temps de vous dire qui est Roberte...

— ... Moi aussi, dit Roberte, je suis la fille de petits-bourgeois. Mon père était marchand de vins en demi-gros à Hénin-Liétard (Pas-de-Calais). Ma mère est fille d'un quincaillier du voisinage. Ils eurent quatre enfants, trois garçons et moi, la cadette. Mon père mourut à la fin de l'autre guerre, quand nous avions respectivement quinze, quatorze, treize et dix ans. Ma mère, qui était impatiente de jouir des plaisirs dont elle avait été sevrée en province, s'empressa de vendre le fonds de commerce familial et accourut à Paris, le jour même où commençaient les travaux de la Conférence de la Paix. Elle avait placé mes trois frères chez divers parents, mais elle me garda avec elle; nous descendîmes dans une pension de famille voisine de l'Etoile. C'était l'époque où des *dancings* s'ouvraient dans tous les quartiers de Paris; ma mère allait l'après-midi au *thé dansant* et le soir au dancing; elle y rencontra un délégué britannique à Versailles, un Ecossais, qui s'éprit d'elle. Il lui fit bâtir un hôtel dans un quartier neuf d'Auteuil, ce fut là que je grandis et c'est à l'Ecossais que je dois l'essentiel de mon éducation. Je l'appelais oncle, *uncle,* puisque l'anglais était sa langue maternelle.

« *Uncle* me fit apprendre l'orthographe, l'anglais, l'espagnol et à jouer de l'accordéon. Il veilla personnellement à ce que j'eusse de bonnes manières à table; je reçus beaucoup de tapes sur les doigts pour avoir tenu le couteau trop bas ou fait du bruit en mangeant la soupe. Il méprisait les bourgeois français parce qu'ils tiennent leur fourchette dans la main droite. Nous ne recevions que des étrangers. Moi, je lui apprenais l'argot que je pratiquais avec les enfants des concierges et des commerçants du voisinage, les seuls enfants que je fréquentasse. *Uncle* se passionnait pour la perpétuelle création de vocables, pour ce jeu du langage auquel excelle le peuple de Paris; les intonations faubouriennes l'enchantaient; il en saisissait les moindres nuances; ce fut lui qui m'apprit à prononcer « un omnibus montait le boulevard Rochechouart », avec le pur accent de Montmartre. Il m'emmenait parfois dans les cafés de Belleville, pas les grands qui flamboient sur les boulevards extérieurs, près des stations de métro, et que fréquente davantage la pègre que le peuple, mais les bistrots familiers des petites rues qui montent vers les Buttes-Chaumont; il y connaissait des menuisiers, des charpentiers, des maçons, des terrassiers, un boueux, un employé des Pompes funèbres, un gardien de square et un instituteur qui fut licencié après les grèves de 1923. Ils nous parlaient de leur métier, de leur famille, de leurs ennuis, de leurs espoirs. *Uncle* payait son écot en décrivant le saumon géant qu'il avait pris dans la Clyde en 1907 ou en racontant comment les Américains font la cuisine. Moi, je leur chantais *A Batignolles* ou *Rue des Saules; Uncle* m'avait fait apprendre la plus grande partie du répertoire de Bruant. On m'aimait bien. On m'adora le jour où je m'emparai de l'accordéon d'un musicien ambulant et chantai *Nini Peau de Chien,* en m'accompagnant moi-même. A partir de ce jour-là, on ne m'appela plus que Nini Peau de Chien. Dans tout un quartier de Belleville, on vous parlerait encore avec tendresse de la petite Nini Peau de Chien qui, vers l'année 1924, jouait de l'accordéon aussi bien que Fredo Gardoni. *Uncle* fut enchanté.

« Quand j'eus quinze ans, sa femme mourut et il nous emmena, ma mère et moi, dans sa maison d'Ecosse. C'était une grande bâtisse en briques rouges dont nous n'habitions qu'une toute petite partie, avec un couple de domestiques. Ma mère s'ennuya vite et trouva un prétexte pour rentrer à Paris. Je restai seule avec *Uncle*. Le matin, il chassait ou jouait au golf; l'après-midi, il buvait solitairement en lisant des récits de voyage. Il n'avait que deux exigences à mon égard : que je le dévêtisse quand il était ivre et que, chaque matin, je cirasse ses bottes. Quand j'avais laissé le domestique cirer les bottes et malgré l'extrême soin que celui-ci mettait à ne pas m'attirer de remontrances, *Uncle* ne manquait pas de s'en apercevoir :

« — Nini Peau de Chien, criait-il, tu n'as
« aucune conscience. Tu es veule, tu es paresseuse,
« tu es futile. Tu tomberas amoureuse d'un va-nu-
« pieds. Ou bien d'un juif. Ou bien d'un nègre.
« Tu me dégoûtes... »

« A part cela, je disposais de la liberté la plus totale. Je faisais du cheval, je chassais le lapin au furet, je jouais de l'accordéon pour les gamins du village, je ne lisais jamais. Il y avait de la truite et du saumon dans les rivières du voisinage, je voulus apprendre les pêches sportives. *Uncle* fit venir d'Aberdeen un professeur de lancer : ce fut mon premier amant.

« Jimmy avait vingt-cinq ans, un mètre quatre-vingts et les yeux verts. Je pense qu'il était sérieusement épris. Il m'ennuyait énormément. Je lui reprochais de me frustrer par sa hâte à s'abandonner à son plaisir et je m'appliquais à lui imposer une stricte discipline; mes reproches à chaque manquement le faisaient pleurer.

« Une fin d'après-midi, *Uncle* nous surprit dans un buisson du parc. Il boxa Jimmy et l'étendit k. o. d'un uppercut au menton. Quand je vis mon ami se relever en titubant, puis, les bras ballants, les joues rouges et un peu de bave au coin des lèvres, balbutier des excuses, j'éclatai de rire. *Uncle* me regarda, regarda le garçon qui devenait de plus en plus rouge, haussa les épaules puis, s'approchant de moi, me donna une grande tape dans le dos.

« — Nini Peau de Chien, dit-il, vous serez une « vraie femme. »

« Quand nous rentrâmes en France, ma mère avait pris un autre amant. *Uncle* m'invita à dîner au Café de Paris. J'étais déjà complètement formée, je crois même que j'avais la poitrine plus forte que maintenant, mais je portais les cheveux flottant sur les épaules, ni maquillage, ni bijoux et je riais avec tant de naturel qu'on me donnait quatorze ans. *Uncle* était déjà ivre quand nous nous mîmes à table; il choisit les vins avec beaucoup de soin; moi, je commandai du lait cru, comme d'habitude. On nous regardait beaucoup. Mais déjà je me trouvais aussi à l'aise dans un bistrot de Belleville, dans un pub de Soho ou au Café de Paris; c'est ce que je dois à *Uncle*. A la fin du repas, il se mit à me parler de ma mère :

« — Votre mère est une prostituée mais je ne « peux pas me passer d'elle. »

« Il continua pendant deux heures sur le même thème. Il commandait un cognac après l'autre. A la fin sa voix se mouilla :

« — *Shut up!* lui dis-je, vous êtes aussi lâche « que Jimmy. »

« Je le vis devenir blanc. Je me rappelle parfaitement comment cela se fit : le sang se retira de son visage comme la mer de la plage quand la marée baisse.

« — *You dirty little garce* », gronda-t-il.

« J'appelai le maître d'hôtel et je dis à voix très haute :

« — Occupez-vous, je vous prie, de faire reconduire cet ivrogne chez lui. »

« Je sortis tranquillement et j'allai au cinéma.

— Vous étiez vexée de ce qu'il avait dit de votre mère? demande Hélène.

— Non, dit Roberte. Je savais bien que c'était vrai. Nous en avions souvent parlé. Nous la jugions très lucidement. « Elle est sotte », me disait-il. Ou bien encore : « Elle est menteuse. » Ou bien encore : « Elle est vulgaire. » « Mais, ajoutait-il, « *she is my convenience* », c'est difficile à traduire, ça veut dire à peu près : « Elle est commode pour « mon équilibre ». Je le comprenais, je l'approuvais.

— Vous avez été dure avec lui.

— Ce soir-là, dit Roberte, il me dégoûtait comme un inverti.

— Il vous avait appris beaucoup de choses.

— Je l'avais distrait pendant cinq ans, nous étions quittes.

« Je ne revis jamais *Uncle* et ma mère eut bien d'autres amis. Sa carrière touchait à son sommet. A Deauville, elle fit des bancos à la même table que les Dolly Sisters. Mes frères cependant faisaient leur entrée dans les carrières sérieuses de l'existence : le premier épousa une riche Américaine; le second, qui n'avait que des ambitions médiocres, entra dans l'administration des finances; le troisième avait la vocation des affaires, c'est-à-dire des métiers d'intermédiaire, il connut des fortunes diverses, il est maintenant en prison pour avoir trafiqué des métaux non ferreux avec les Allemands.

« Moi, j'eus vingt ans en 1929, l'année du

Krach. Un soir, comme j'allais sortir, maman m'appela :

« — Roberte, il faut que nous parlions sérieuse-
« ment. »

« Des amis m'attendaient pour aller écouter un jazz; Paris raffola de musique américaine, l'année où s'écroula la Bourse de New York.

« — Il est temps de parler de ton avenir, pour-
« suivit maman. Assieds-toi et écoute-moi. »

« Je protestai que j'allais être en retard et que j'avais tout mon avenir devant moi pour en parler.

« — Tu as certainement un ami, poursuivit
« maman, tu découches deux fois par semaine.

« — Oui.

« — Quelle situation a-t-il?

« — Il n'a pas de situation. Il a mon âge. Il est
« le fils de ses parents comme je suis la fille de ma
« mère.

« — Je m'en doutais, poursuivit maman. Aussi
« bien dois-je constater que tu n'as pas de bijoux,
« sauf les babioles que ton frère ou moi nous
« t'avons offertes. » (Quand elle disait « mon fils » ou « ton frère », il s'agissait toujours du mari de l'Américaine.) « Que font les parents de ce garçon?

« — Peu importe. Il n'est pas drôle et je vais
« le liquider un de ces jours, ce soir peut-être,
« s'il proteste trop fort parce que j'arrive en
« retard... à cause de toi.

« — Ce sera le plus raisonnable. Il faut main-
« tenant songer à te marier. Ou à trouver quel-
« qu'un qui s'occupe sérieusement de toi. Je ne
« peux pas garder à ma charge une fille qui a
« vingt ans. Ce serait au surplus te rendre un mau-
« vais service.

« — Pas question, répondis-je. Je ne couche que
« pour le plaisir. Il n'est d'ailleurs pas grand.
« Enfin je fais ce que je peux.

« — *Uncle* avait raison de dire que tu n'arri-
« veras jamais à rien... »

« J'éclatai :

« — *Uncle* est encore pire que toi. Il n'accorde
« son estime à un homme qu'à partir de
« 200 000 francs de revenu annuel; tu t'es souvent
« satisfaite d'amitiés moins nobles. La France est à
« l'extrême-orient des pays dont il consent à fré-
« quenter les habitants. « *East is east and west is*
« *west* », répète-t-il avec son obstination d'ivrogne.
« Il tolérait notre familiarité comme celle des
« petits chiens; il était presque aussi bon avec
« nous qu'avec ses cockers; il nous a toujours consi-
« dérées comme des *natives.* Toi, je t'ai connu au
« moins deux amants juifs et même, je crois bien,
« un mulâtre, tu es un peu moins inhumaine que
« lui. »

« Quand je fus calmée :

« — Puisque tu t'obstines à ne pas être raison-
« nable, continua maman, il faudra travailler.

« — Non!

« — Je peux te faire entrer comme vendeuse « chez Alice (c'était une de ses amies) qui vient « d'ouvrir une maison de couture.

« — Non!

« — Tu parles l'anglais et l'espagnol. Tu arri- « veras à te faire 2 000 francs par mois. Je ne te « prendrai que 40 francs par jour de pension. Il « te restera 800 francs pour t'habiller et comme « argent de poche. Il y en a de plus malheureuses.

« — Où est la maison d'Alice?

« — Faubourg Saint-Honoré.

« — Alors tu voudrais que je me lève à huit « heures du matin et que je traverse Paris en « métro quatre fois par jour, pour 2 000 francs par « mois. 2 000 francs, il m'est déjà arrivé de les « dépenser dans la nuit pour m'amuser avec des « copains. Et j'aurais pour tout espoir d'en gagner « 3 000 quand je serais première vendeuse, dans « dix ans. Non!

« — C'est le sort de la plupart des jeunes filles.

« — Leur mère n'a pas fait ton métier pendant « dix ans.

« — Je ne te donnerai plus un sou.

« — Je demanderai de l'argent à ton fils.

« — Je te mettrai à la porte.

« — Je rentrerai par la fenêtre.

« — Tu n'as aucune fierté », dit-elle.

« Je me mis à rire.

— Pensez-vous toujours qu'elle avait tort? demande Hélène.

— Plus que jamais, dit Roberte. Il est tellement moins humiliant de plier l'échine sous les injures de sa mère, soit-elle une prostituée, que de passer même une seule nuit avec un homme qu'on n'aime pas.

— Vous pouviez travailler, dit Hélène.

— Non, dit Roberte. Faire un travail qu'on n'aime pas est aussi humiliant que de coucher avec un homme répugnant.

— Je ne suis pas une putain, dit Hélène.

— C'est que vous aimez votre travail.

— Pas toujours, dit Hélène.

— Vous êtes une môme!

— Ce n'est pas la question, interrompt Milan.

— Toi, tais-toi, s'écrie Roberte. Tu n'as pas le droit de parler de ces choses-là. »

Milan se dresse et va vers Roberte.

« Pourquoi n'ai-je pas le droit? demande-t-il. N'ai-je donc pas le droit de dire la vérité? »

Ils se trouvent face à face et l'un et l'autre a le regard menaçant.

« Alors, demande précipitamment Hélène, votre mère a cédé? »

Milan s'écarte.

« Il a bien fallu, répond Roberte.

— Elle aurait pu vous chasser.

— Comment aurait-elle fait? puisque je refusais de partir.

— Elle aurait pu appeler la police.

— Une mère ne peut pas appeler la police pour chasser sa fille du domicile... comment dit-on?... »

Elle se tourne vers Milan :

« ... j'allais dire du domicile conjugal. Tu vois comme j'ai bien pris la mentalité de la femme mariée.

— Ça suffit, dit Milan. Je ne te *cherche* pas.

— Tu t'en garderais bien. »

Hélène se lève.

« Je vous en supplie, dit-elle, ne vous disputez pas.

— Elle est charmante, dit Roberte à Milan.

— Je te l'avais bien dit », répond Milan.

Roberte se verse trois dés et les avale d'un trait. Puis elle offre trois dés à Milan qui avale également d'un trait.

« Brute! » dit tendrement Milan.

Hélène est toujours debout. Elle les regarde l'un et l'autre.

« Je ne vous comprends pas, dit-elle.

— Et vous? demande Roberte.

— Moi?

— Oui, poursuit Roberte, vous, avec qui couchez-vous? »

Hélène rougit.

« Quoi, dit Roberte, tu as vingt ans. J'espère bien que tu n'es plus pucelle.

— Roberte, dit Milan, je t'en prie...

— Vous l'entendez, dit Roberte, il prend sa voix de velours. C'est pour mieux te croquer, mon enfant... N'ayez pas l'air aussi effrayé, le Chaperon Rouge n'a été mangé que parce qu'il a eu peur du loup.

— Je suis fiancée, dit courageusement Hélène... Enfin, je veux dire : j'ai un ami. »

Elle se rassied, elle reprend souffle.

« Tu l'aimes? demande Roberte.

— Si je ne l'aimais pas, je ne le fréquenterais pas. »

Hélène a répondu tout d'un trait. Elle regarde Roberte droit dans les yeux.

« Elle est *pure* », dit Roberte.

Elle a pris l'accent faubourien qui enchantait jadis Milan; aux premiers temps de leur amour, il lui demandait « parle comme les filles de Belleville »; il disait à ses amis « Roberte c'est Belleville *via* Londres et Los Angeles, Belleville à la classe internationale »; mais aujourd'hui, après tant de débats sans retenue, la gouaille l'irrite, c'est un défi.

« Votre fiancé habite la région? demande-t-il à Hélène.

— Il fait un stage au barrage de Génissiat. Il est sorti en juillet dernier de l'Ecole des Arts et Métiers de Cluny. Nous nous marierons quand il sera ingénieur titulaire... »

Hélène se tourne vers Roberte.

« ... si je ne change pas d'idée.

— C'est votre premier ami? demande Roberte.

— Le premier et le seul. Ce n'est pas par préjugé. J'ai l'esprit aussi libre que vous. C'est le seul homme qui m'ait plu! Oh! je suis une fille un peu simple.

— Vous le voyez souvent?

— Il vient ici tous les dimanches.

— Vous le recevez chez vous?

— Vous savez bien que ce n'est pas possible. Je ne suis pas libre comme vous l'étiez. Je suis institutrice au village, je ne peux pas me permettre de faire parler.

— Vous allez l'après-midi au cinéma et le soir au bal.

— C'est à peu près cela.

— Il vous reconduit et vous faites l'amour dans un fossé.

— Comme vous avec votre professeur de pêche!

— Le seul ennui des fossés, c'est qu'on s'y fait engrosser. Sale histoire! On prend toujours au tragique sa première fausse couche.

— J'imagine, dit Hélène, que vous avez fait plus d'une fausse couche.

— Douze, répond Roberte. Ou treize? »

(Elle regarde interrogativement Milan.)

« ... je ne sais plus. Lui non plus. Il n'est d'ailleurs responsable que des toutes dernières. Mais ce n'est pas si terrible que l'on croit. Tu verras!...

— Tu vas lui foutre la paix! interrompt Milan.

— ... sur l'instant, bien sûr. Moi, après chaque fausse couche, je me jure de ne plus faire l'amour. Tant d'ennuis pour un plaisir si court, je m'estime volée. Quelques semaines ou quelques mois plus tard, j'oublie mon serment. Rien ne s'efface plus facilement de la mémoire d'une femme que le souvenir d'une fausse couche. Elles te le diront toutes.

— Qu'est-ce que tu cherches? demande Milan.

— A gâcher ta soirée », répond Roberte.

Hélène s'est de nouveau levée. Elle est blanche. « Que se passe-t-il? demande-t-elle. Qu'est-ce qui vous arrive à tous les deux?

— Nous avons un peu trop bu, répond Milan.

— Tu ne vois pas que nous nous aimons? dit Roberte. Voilà quinze ans que ça dure. Maintenant, c'est la fin. Nous continuons à nous injurier, mais nous ne faisons plus l'amour ensuite. Il ne pense plus qu'à me congédier comme une servante qui a fait son temps. Regarde-le. Ses yeux pétillent à la pensée d'être libre.

— Ça ne l'intéresse pas, dit Milan.

— Je veux lui montrer comment tu es.

— Tout cela est sordide.

— Je suis sordide, je tiens à toi... *mon* Milan. »

Elle grasseye à dessein et met un accent tonique sur le possessif.

Milan se détourne, Hélène ouvre un des livres

posés près d'elle sur la table. Roberte les regarde tour à tour. Elle décrit un cercle dans l'espace libre entre le piano et la table. Puis elle va s'appuyer contre la cheminée et elle ferme un instant les yeux. Puis elle va vers Milan.

« Il t'arrive aussi d'être ivre », dit-elle doucement.

Hélène se lève.

« Je vais rentrer », dit-elle.

Elle groupe les livres pour les mettre sous son bras. On frappe. Roberte va ouvrir. C'est Radiguet.

« La vache va vêler, dit-il.

— J'y vais », répond Roberte.

Elle passe devant Radiguet et disparaît dans la nuit.

« Vous venez? demande Radiguet à Milan.

— Prenez d'abord un verre, propose Milan.

— Je dois retourner tout de suite, c'est déjà commencé.

— Nous vous suivons », dit Milan.

Radiguet disparaît dans la nuit.

« Bonsoir, dit Hélène, je rentre chez moi. »

Elle est toute droite, immobile, les livres sous le bras.

« Ne nous laissez pas », dit Milan.

Elle regarde Milan.

« Oui », dit-elle.

Elle pose les livres et se dirige à son tour vers l'étable. Milan la suit.

CHAPITRE III

La Blonde est en travail depuis le début de l'après-midi; elle a fait les eaux au début de la soirée, les coliques n'ont pas cessé, le rythme des poussées vient de s'accélérer, le veau peut apparaître d'un instant à l'autre. C'est la première fois qu'elle vêle, on ne peut pas savoir d'avance si ce sera facile. Radiguette aurait voulu qu'on appelât le vétérinaire, mais ce n'est pas l'habitude d'engager des frais tant que les choses se passent normalement. C'est Bourret, un voisin et un ami, réputé pour son habileté en tout ce qui concerne les animaux, qui va diriger les opérations.

L'étable est de torchis mal protégé par un crépi écaillé; des courants d'air passent par les fentes creusées par les intempéries entre les lattes. Ni eau courante, ni rigole d'écoulement pour le purin. Une seule ampoule de 30 ampères suspendue très haut à la poutre médiane afin que sa pâle clarté se répande avec égalité sur les six stalles. C'est une étable de pauvre, une pauvre étable, comme la plupart des étables de France.

La Blonde est debout sur une épaisse litière de paille fraîche. La vulve est gonflée et tuméfiée comme une paupière après un coup de poing. Les cuisses blondes sont maculées. Elle pousse. Puis elle cesse de pousser. Puis elle pousse de nouveau. Les flancs sont couverts de sueur et le mufle baveux.

Les vaches des deux stalles voisines ont été mises pour la nuit à l'écurie, près du cheval, et les barrières enlevées. Dans l'espace vide, Radiguette a préparé une litière fraîche pour le veau qui va naître. C'est là qu'elle se tient, debout, les bras le long du corps, un peu raide, le regard sur le mufle de la Blonde et sur les grands yeux liquides injectés de sang.

Dans le fond de l'étable, assis sur des tabourets à traire : la femme de Bourret, leur fillette qui n'a que cinq ans mais qui a peur lorsqu'elle reste seule à la maison, Auguste enfin, bien qu'on le sache maladroit pour tout ce qui concerne les soins à donner aux animaux, mais il est extrêmement fort et cela pourrait éventuellement être utile.

Bourret se tient derrière la vache, attentif, le regard intelligent.

Roberte entre, va tout droit à Radiguette et l'embrasse.

« Tu viens nous aider! dit ironiquement Radiguette.

— Que faut-il faire? demande Roberte.

— Voyez-vous ça », dit Radiguette.

Mais elle n'a pas le cœur à plaisanter. Son regard est fixé sur l'œil douloureux de la Blonde.

« C'est long, dit-elle, c'est long, j'ai bien peur que ça se passe mal. »

Radiguet s'approche et soulève sa lanterne pour mieux éclairer la bête. Il s'entretient en patois avec Bourret, lui d'un ton anxieux, Bourret d'un ton compétent.

Arrive Milan qui va rejoindre les deux hommes, puis Hélène, qui reste un peu en retrait mais assez près cependant pour pouvoir écouter.

« Alors? demande Milan.

— C'est long, répond Bourret. Mais le temps ne fait rien à l'affaire. Surtout quand une vache vêle pour la première fois. »

Bourret a trente-huit ans, mais son visage est si rose et frais avec, quand il rit, une fossette au milieu de la joue, qu'il paraît beaucoup plus jeune. Il a relevé ses manches et lavé soigneusement ses bras pour le cas où il faudrait qu'il intervînt au cours de la mise bas. De temps en temps, ses doigts courts et grassouillets décrivent à distance des sortes de courbes autour des flancs de la bête. Milan se demande s'il y a un rapport entre la complexion de l'homme et son don naturel pour les soins vétérinaires. Sans doute. Un jeune paysan qu'il avait connu, gras, rose et imberbe dans une famille d'hommes osseux et poilus, manifestait des affinités analogues avec le monde animal, réclamait comme une faveur de soigner les vaches et les cochons, se découvrit finalement la vocation de boucher; il aimait soigner et tuer les bêtes. Il y a là tout un domaine qui fascine Milan.

La Blonde pousse. Rien n'apparaît. Elle se couche tumultueusement. La queue fouaille. Le cuir transpire.

« Elle souffre, dit Milan.

— Avec une vache, dit Bourret, on ne peut jamais prévoir ce qui va se passer. Mais avez-vous déjà vu une jument pouliner? Une jument accouche debout, au retour du travail, sans préparation, sans avertissement. C'est à peine si tu t'es aperçu qu'elle est agitée, qu'elle est en sueur, que sa face est crispée. Elle se laisse tomber, elle se relève aussi vite, les sabots apparaissent, le poulain est expulsé d'un seul coup. La jument retombe apaisée, délivrée. C'est beau, une jument qui met bas.

— C'est beau », confirme Radiguet.

La Blonde, qui ne s'est pas relevée, pousse en haletant. Puis elle émet un liquide gluant et blanchâtre.

« Ah! dit Bourret, ce n'est pas encore fini. Ce sont seulement les eaux blanches après les eaux jaunes. Elle va nous faire passer la nuit. »

Il donne une grande tape dans le dos de Radiguet.

« Allons! dit-il, ça va, ça va. C'est seulement long. Tu ne peux pas demander à une génisse de galoper comme une pouliche.

— La vache, dit-il à Milan, est l'animal du monde le plus démuni, c'est le seul qui ne puisse pas mettre bas sans le secours de l'homme. »

Il a fallu encore attendre. Radiguette est allée préparer du café et Roberte l'a accompagnée et aidée. Hélène et Milan se sont promenés côte à côte dans la cour vaguement éclairée par l'ampoule de la porte charretière. Hélène porte des talons plats et sa démarche nette et assurée a enchanté Milan. Il a parlé avec animation. Le point de départ était le vêlage, les commentaires de Bourret et sa conformation. Il a expliqué qu'il est vrai que certains hommes ont un cœur de lion, que d'autres rampent comme un serpent, ont double face comme un cheval vicieux, sont fragiles comme des mauviettes, lâches comme des corniauds, délicats comme des orvets, d'autres ont du bœuf la vigueur, la tête pleine de nuit et le ventre mutilé. Et que ce n'est pas seulement à cause de leur robe noire que les prêtres doivent être comparés à des corbeaux.

Hélène est entrée sans réticence dans le jeu. Elle a parlé d'une camarade de Normale mince et luisante comme une couleuvre, et d'un maître qui avait du scorpion l'apparence inoffensive et l'efficace venimosité.

« Roberte est une lionne », a dit Milan.

Elle a tourné vers lui son regard rieur.

« Et vous? a-t-elle demandé.

— Moi. Je suis un milan, comme l'indique mon nom. C'est pourquoi Roberte et moi nous ne cessons de nous déchirer sans pouvoir jamais nous étreindre.

— Et moi? a demandé Hélène.

— Vous êtes une jument...

— Oh! a-t-elle fait.

— ... une jument jeune, légère et grave. »

Il a raconté un rêve. Dans une prairie, au printemps, il poursuivait une jeune femme pour laquelle il éprouvait un violent désir. Parfois elle s'arrêtait et le laissait approcher, puis elle reprenait la fuite. L'herbe était très haute et la cachait presque tout entière. L'un et l'autre couraient à grandes foulées mais sans hâte ni essoufflement. Il se sentait heureux. Quelquefois elle tournait la tête vers lui; tantôt c'était une femme, tantôt une jument.

« ... ainsi m'est longtemps apparu le visage de l'amour.

— Ah! oui, ah! oui », a dit Hélène.

Puis Radiguet a appelé et ils se sont tous retrouvés dans l'étable.

La Blonde est de nouveau debout. Elle pousse et deux sabots apparaissent. Elle fait un plus gros effort et les canons (les chevilles) passent, puis aussitôt le tiers inférieur des pattes qui sont plus minces que les canons et franchissent plus aisément. Alors la Blonde cesse de pousser. Radiguet tient la lampe suspendue. Bourret, un peu en arrière, regarde avec nonchalance; il sifflote; cela ne l'intéresse pas encore.

« Ce sont les pieds de devant », dit-il.

La Blonde pousse de nouveau et le museau du veau apparaît, posé bien à plat sur les jarrets, blanc, humide, la langue légèrement sortie. La langue est rose thé avec un peu de bave mousseuse. Puis le nez dépasse, surgit et enfin les yeux, encore clos.

« Pourquoi ne mange-t-on pas les veaux mort-nés? » avait un jour demandé Milan. « Ce n'est pas de la viande *faite* », lui avait-on répondu. Le mot lui avait plu. La chair comme l'homme, comme l'amour, comme un livre ou comme le monde de l'homme, doit d'abord se *faire*. « Il est bien vrai, pense-t-il en regardant les yeux clos et maculés d'humeur, que le veau qui n'est pas encore détaché de sa mère n'est pas *fait*, pas davantage que la larve dans le cocon. Il ne sera pas *fait* non plus tant qu'il n'aura pas été sevré; on n'envoie pas de veau à la boucherie avant le sevrage; il faut qu'il se *fasse* dans sa singularité. »

Mais c'est en vain que la Blonde pousse maintenant, la tête n'arrive pas à franchir.

Bourret a l'air intéressé. Il s'est placé sur le côté

et regarde attentivement les flancs se dilater et se contracter dans l'effort. Le cuir est inondé de sueur. L'arcade sourcilière ne passe toujours pas.

« Ça ne va pas? demande Radiguet.

— Je ne sais pas, dit Bourret. Il faut encore attendre. »

Auguste s'est levé, s'est approché et maintenant tout le monde est groupé en demi-cercle autour de la vache.

« Dois-je aller chercher le vétérinaire? demande Roberte. Avec la voiture je n'en ai que pour une demi-heure, aller et retour. »

Radiguette serre le bras de Roberte pour la faire taire. Qu'on parle d'appeler le vétérinaire au cours d'un vêlage dont il s'occupe indispose Bourret, à moins toutefois que la mise bas ne se révèle tout à fait impossible et qu'il faille découper le veau dans le ventre de la mère et l'en extraire morceau par morceau; il ne possède pas les instruments nécessaires et c'est alors lui-même qui réclame l'assistance du praticien. Mais tel ne semble pas être le cas.

« Il faut essayer les tractions », dit-il.

Radiguet va chercher les lacs qu'il a préparés à toute éventualité. Bourret les fixe sur les deux pattes, au-dessus des canons qui font saillie et les empêchent de glisser. Il faut tirer. C'est Auguste qui prend la première place.

« Tout doux, tout doux, lui dit Bourret. Seulement à mon commandement et sans secousses. Il faudra arrêter dès que je dirai « halte! »

Derrière Auguste prend place Radiguet et ensuite Milan; la queue des lacs traîne derrière lui; c'est Suzanne, la fillette de Bourret, qui s'en empare; elle tirera aussi.

Ils tirent. La Blonde pousse. Bourret a posé ses doigts roses sur la tête du veau et fait comme des passes. Mais l'arcade sourcilière ne passe pas.

Les femmes font cercle un peu à l'écart. Le visage de Radiguette est crispé.

« Ne t'inquiète donc pas, lui dit Roberte.

— Nous n'avons jamais de chance, répond Radiguette.

— Au pire, ce n'est qu'un veau, ta vache t'en fera un autre l'année prochaine.

— Je me moque du veau, mais la Blonde va y rester. »

Au signal de Bourret, les hommes relâchent leur effort puis se remettent à tirer et ainsi de suite. Suzanne s'arc-boute derrière eux, elle s'amuse beaucoup. Mais le veau ne franchit pas, il n'a pas avancé d'un pouce. Bourret tâte la tête, il fait pression, il la fait légèrement osciller de gauche à droite et de droite à gauche, ses mouvements sont doux et son visage singulièrement détendu. On croirait le veau mort, mais il est bien vivant, Bourret sent son souffle sur ses doigts. La Blonde aide de moins en moins, elle commence à se fatiguer.

« Halte! » dit Bourret.

Il repousse les hommes.

« Lâchez les lacs, dit-il, nous n'y arriverons pas comme cela.

— Tu vois! tu vois! dit Radiguette.

— Que se passe-t-il? demande Milan à Bourret.

— Je pense, dit-il, que les membres postérieurs sont mal placés, les genoux repliés butent contre l'os iliaque; plus nous tirons plus ils se coincent, c'est comme un lièvre dans le collet.

— Que faire? demande Roberte.

— Il faut faire pivoter les rotules, les pattes alors s'allongeront parallèlement au corps et à l'arrière, le veau franchira sans qu'il soit besoin de tirer; il paraît bien constitué et la Blonde est une belle bête, robuste et saine.

— Mais comment atteindre les rotules?

— Avec la main », dit Bourret.

Il essaie d'introduire le bras, mais les doigts sont trop gros. Il faudrait pouvoir repousser la tête, mais le crâne emplit l'orifice et la Blonde, qui souffre, se contracte et l'immobilise.

« Il faut une main plus fine, dit Bourret, mais il faut aussi une main adroite. »

Il regarde autour de lui. Chacun l'observe. On attend sa décision.

Les mains de Radiguet sont presque aussi grosses que celles d'Auguste. Les mains de Milan sont petites mais osseuses et noueuses, des mains de nerveux. La Bourret n'est bonne à rien en de telles occasions. Hélène est blanche et Radiguette tremble.

« Moi! dit Roberte.

— Ah! non, s'écrie Radiguette, pas elle, surtout pas elle.

— Pourquoi pas moi?

— Tu ne sauras jamais, tu n'es pas sérieuse, tu vas me tuer ma bête.

— Moi, dit Bourret, je laisserais faire Mme Milan.

— Il faut écouter Bourret, dit Radiguet.

— Faites comme vous voudrez, dit Radiguette. Mais je ne veux pas voir cela. »

Elle sort. Hélène est toujours blanche et regarde fixement Roberte. Milan ne dit rien, s'écarte et allume une cigarette.

Roberte ôte sa veste, retrousse les manches de son chemisier, puis elle se lave soigneusement les mains dans un seau d'eau que Radiguet est allé chercher au puits. Puis Bourret lui explique ce qui va se passer : où elle rencontrera les rotules, comment elle devra les manier et comment elle les sentira pivoter. Il décrit davantage par gestes que par paroles, mais elle mime à mesure les mouvements de sa main, elle croit sentir dans sa paume les formes qu'il dépeint, elle se réjouit déjà du déliement des pattes sous ses doigts.

« C'est facile de mettre la voiture en route,

dit Milan, je peux aller chercher quelqu'un.

— On ne te demande rien, s'écrie Roberte.

— Laissez votre dame essayer », dit Bourret.

Roberte s'approche résolument.

....

Roberte a été ferme, précise et adroite. L'opération a réussi aisément. La Blonde n'a mis ensuite que quelques minutes pour faire son veau que Roberte et Bourret ont déposé sur la litière préparée à cet effet. On a appelé Radiguette pour qu'elle lave le veau avec l'aide de la Bourret. Tous les autres ont gagné la maison où Radiguet a ouvert une bouteille de vieux marc.

A son retour, Radiguette, qui d'ordinaire ne boit pas d'alcool, a trinqué avec Roberte. Puis elle s'est assise près de son mari et a posé le bras sur son épaule :

« Homme, a-t-elle dit, j'ai eu bien peur. »

Ils se sont regardés avec affection. Roberte a bu « à la russe » avec chacun tour à tour. Ensuite la Bourret et Hélène ont fait des crêpes. Puis on a bu le café et de nouveau du marc, à volonté.

Il a été temps de rentrer. Milan est sorti le dernier. C'était l'heure où, la veille, ils étaient partis pour la chasse. L'aube pointait. Hélène et Roberte se tenaient côte à côte près du puits.

Hélène était lasse. Sur le visage des très jeunes filles, la fatigue ne tire pas de traits, ne creuse pas de poches, ne gonfle pas de bouffissures. C'est plutôt un changement d'éclairage, une ombre aussi, comme celle qu'on voit errer sur la plaine quand un unique petit nuage se promène dans un ciel d'été; elle vient se placer sous la paupière sans pli; là où elle passe, c'est comme si la chair mûrissait sans se faner. Ainsi Hélène, tous feux au ralenti, se tenait devant Roberte et la regardait soucieusement.

« Je veux m'amuser », criait Roberte en frappant du pied.

La fatigue, l'excitation de la nuit et l'alcool avaient porté sa tension à l'extrême. Son visage était décomposé mais son regard avait tant d'éclat qu'on ne pensait pas à détailler les traits. Hélène, pour la première fois, la trouva belle.

« ... nous allons aller à Aix, disait-elle. Il y a deux boîtes qui restent ouvertes toute la nuit. Je veux danser... »

Hélène aida Milan à la ramener à la maison, puis elle prépara du café. Roberte s'éteignit tout d'un coup. Elle était assise sur une chaise du salon; le buste oscilla deux ou trois fois, les yeux se fermèrent, puis, comme un arbre qui s'abat, tout le corps, d'une seule masse, bascula. Milan la retint au passage et l'étendit sur un divan. Elle dormait déjà. Il redressa la tête, déplia les jambes, ramena le long du corps les bras inertes qui pendaient en croix; elle ne poussa même pas un soupir. Hélène monta chercher une couverture et la couvrit précautionneusement. Puis elle remit en place une mèche de cheveux qui s'était égarée sur les yeux, elle ôta avec le coin de son mouchoir un fragment de tabac collé à la lèvre, elle posa sa main sur la joue brûlante. Elle s'éloigna, s'arrêta, regarda Roberte, revint et de ses lèvres fraîches effleura rapidement le front fiévreux.

Milan, debout devant la porte-fenêtre, regardait le soleil surgir à l'horizon.

Hélène sortit sur la pointe des pieds.

CHAPITRE IV

Roberte et Milan dormirent jusqu'au milieu de l'après-midi. Hélène aussi se leva tard (c'étaient les vacances), elle fit son travail de secrétaire de mairie, rentra chez elle à sept heures, se coucha sans dîner et s'endormit aussitôt.

Le lendemain jeudi, Roberte alla à Chambéry pour acheter une machine à laver. Elle fit un crochet pour déposer Milan au chef-lieu de canton où se tenait la foire mensuelle. Il flâna toute la matinée devant les éventaires forains et parmi le bétail aligné sur la place; tout au long de la grande rue, les garçons des villages regardaient en ricanant les jeunes filles qui passaient bras dessus, bras dessous, et riaient moqueusement pour les agacer; il aime cela. Il décida de revenir à pied, c'est deux petites heures de marche. Hélène, qui rentrait à bicyclette, le dépassa à la sortie du bourg. Elle ralentit pour le saluer, il s'inquiéta de la fatigue qu'elle avait sans doute éprouvée après l'autre nuit, elle demanda où était Roberte; il lui dit que le veau de Radiguet allait sans doute mourir.

Elle descendit de vélo.

« Ont-ils appelé le vétérinaire? demanda-t-elle.

— Si vous n'êtes pas trop pressée, dit-il, faisons route ensemble. Nous bavarderons.

— J'aimerais bien... »

Elle le regarda franchement.

« ... mais les paysans parleraient. C'est comme cela au village.

— Ce n'est pas votre faute si votre pneu a crevé juste au moment où vous me croisiez.

— Mon pneu n'est pas crevé », s'étonna-t-elle.

Il ne passait personne. Milan mit un genou à terre, dévissa la valve, l'air sortit avec un sifflement.

« C'est absurde », dit Hélène.

Puis elle se mit à rire.

Ils marchèrent côte à côte. Elle parla de Roberte, elle n'avait jamais connu de femme qui lui ressemblât en aucune manière, cent questions lui venaient à l'esprit qu'elle posait sans détour. Milan en vint à raconter les premières années de leur amour; il raconte bien; les yeux d'Hélène brillaient d'excitation; il en arriva à la mort d'Octave.

« C'est un crime! » s'écria-t-elle.

Il ne se défendit pas. Hélène apprit ainsi que le crime est la menue monnaie des grandes passions.

Quand une carriole ou un vélo les dépassaient :

« Je suis crevée », criait-elle, en montrant sa roue dégonflée.

On lui répondait par des plaisanteries gentilles. Elle se tenait vers le milieu de la route, poussant son vélo à sa droite; Milan marchait sur le bord du talus, de l'autre côté du vélo.

Le vendredi, le premier vent de la période d'équinoxe se leva. Roberte et Milan restèrent à la maison. Roberte, qui avait ramené du ripolin de Chambéry, peignit en vert turquoise tous les seaux, brocs et pots de la maison; Milan fit une gouache qui représentait un homme à tête d'oiseau près d'une femme à tête de lionne; ils burent modérément. Le samedi, le vent s'apaisa et ils ramassèrent les noix qui étaient tombées la veille; l'après-midi, ils allèrent à la pêche et prirent des gardons à la pâte au safran; en rentrant, ils passèrent par la mairie pour dire bonsoir à Hélène et Roberte, qui était de bonne humeur, lui montra leur pêche; le soir, Milan écrivit à Louvet, raconta tout au long le vêlage de la Blonde, mais ne fit que mentionner la présence d'Hélène.

« ... Nous avons fait connaissance de la nouvelle institutrice (adjointe). Elle a le regard droit et la démarche résolue des jeunes filles d'aujourd'hui. Elle vient m'emprunter des livres. Il y a vingt ans, je faisais lire à mes jeunes amies les *Nourritures terrestres,* mais Gide répond à des questions qu'Hélène n'a pas lieu de poser; l'Histoire va vite, bien qu'elle paraisse si lente quand on la vit. Je n'ai pas osé lui donner les *Liaisons dangereuses.* Roberte et moi nous sommes déjà assez monstrueux *au naturel.* Je lui ai finalement prêté un ouvrage d'économie politique de Baby, tu vois que je suis capable même d'une bonne action... »

Le ton de la lettre était au demeurant assez mélancolique. Louvet répondit :

« ... tu commences déjà à t'ennuyer dans ta campagne. Aussi bien n'as-tu pas l'âge de la retraite et le moment de l'Histoire (comme tu dis) n'est pas de ceux qu'on peut légitimement consacrer à la contemplation. On va construire une gare maritime à B.; je pourrais obtenir qu'on te charge de superviser tout ce qui concerne la décoration. Mais il faudrait te mettre au travail dès janvier... »

*

DUVAL, le fiancé d'Hélène, vint passer la journée du dimanche auprès d'elle. Il était parti à l'aube à bicyclette et avait dû lutter contre le vent qui s'était de nouveau levé au cours de la nuit. Quand il arriva, Hélène se tenait sur le seuil de l'école dont elle partage le logement avec M. et Mme Maréchal, les instituteurs en titre. Elle portait, sur une robe de velours noir à collerette blanche, un petit tablier à carreaux bleus et blancs. Duval posa sa bicyclette contre le mur du bûcher et retira les pinces qu'il avait mises à son pantalon; il était rouge à cause du vent. Ils se mirent tout de suite à table, parce que le poulet qu'avait préparé Hélène était à point.

La chambre d'Hélène donne sur la cuisine commune. De l'autre côté : la salle à manger des Maréchal. Quand son fiancé est là, Hélène laisse grande ouverte la porte de sa chambre, ce qui coupe court à la médisance.

Mme Maréchal allait et venait dans la cuisine; elle dit :

« Bon appétit, les amoureux!

— Bon appétit, madame Maréchal », répondit Duval.

Hélène haussa les épaules.

« J'ai passé une soirée chez les Milan, dit-elle.

— Quoi, s'étonna Duval, chez cette femme qui se soûle?

— Ce n'est pas une femme comme nous autres.

— Heureusement.

— Ce n'est pas si simple », protesta Hélène.

Elle raconta l'intervention de Roberte au cours du vêlage de la Blonde.

« Une virago, dit Duval.

— Oh! non », protesta Hélène.

Elle réfléchit.

« Moi, je l'admire, dit-elle encore.

— Tu es une enfant! »

Il découpe le poulet et ouvre la bouteille de vin vieux qu'il a amenée sur son vélo. Puis il reste immobile, il regarde Hélène qui est assise face à la fenêtre, dans la lumière de midi. Les cloches sonnent la sortie de la messe, on entend des bruits de pas et des rires sur la place.

« Tu es belle, dit-il, tu es claire, tu es ensoleillée, tu es ma joie. »

Puis :

« Je n'aime pas beaucoup que tu fréquentes ces gens-là... Vont-ils rester encore longtemps ici?

— Toute une année.

— Ce Milan est donc bien riche?

— Il m'a dit qu'il avait gagné tout juste de quoi passer une année sans travailler. Ensuite, il reprendra son métier.

— Moi, je ne peux pas rester huit jours sans rien faire.

— Justement. Alors je lui ai posé des tas de questions.

— Je n'aime pas que tu te mêles de ce qui ne te regarde pas.

— Oh! c'est tout simple. Il fait une sorte de retraite comme les anciens, tu sais, qui se retiraient pour un temps dans le désert. Il fait halte, il se recueille pour réfléchir sur ce qu'il est, sur ses raisons de vivre, il s'interroge...

— Comme tu le défends! »

Duval fronce les sourcils et regarde Hélène d'un air soupçonneux. Elle se lève, fait le tour de la table, s'approche de lui et caresse à rebrousse-poil ses cheveux qui sont rudes et coupés en brosse.

« Tu es bête », dit-elle.

Elle l'embrasse sur l'œil.

« Ah! les amoureux », crie Mme Maréchal qui est en train de faire le café dans la cuisine.

Hélène s'écarte de Duval. Elle jette un regard noir vers la cuisine. En trois pas, elle gagne le seuil de sa chambre et ferme la porte sans dire un mot.

« Qu'est-ce qui t'arrive? s'étonne Duval.

— Cette vieille taupe me tape sur les nerfs, je ne veux plus la voir ni l'entendre.

— Pour l'entendre, tu l'entendras et tout le pays l'entendra.

— Je m'en moque.

— Pas moi.

— Je suis chez moi, j'y fais ce que je veux.

— On va dire que je suis ton amant.

— Qu'est-ce que nous faisons dans les fossés?

— Ce n'est pas la même chose.

— Je n'irai plus jamais dans le fossé avec toi. Je veux faire l'amour dans mon lit, comme tout le monde.

— Hélène!

— Et je crierai pour que la toupie m'entende.

— Mon Hélène!

— Et s'il me plaît à moi de crier sur les toits

que j'ai un amant? Suis-je libre ou non? J'en aurais même deux, trois, dix si ça me chante. Il y a des filles très bien qui, à mon âge, ont déjà eu dix amants. »

Elle retourne à la porte et tourne la clef. Le pêne entre dans la gâche avec le bruit sec d'un fusil qu'on arme.

Ils ont mangé en silence la brioche qu'elle avait fait préparer par le boulanger en lui fournissant le beurre qu'elle avait acheté chez les parents d'un de ses élèves. Puis elle lui a offert un petit verre de marc, elle n'en a pas bu. Ils ont fumé chacun une cigarette. Il a repris la parole pour parler de son travail, de ses camarades, de ses interventions au syndicat; il parle clairement, lentement, avec des pauses; il n'attend pas de réponse, c'est un monologue, il réfléchit à haute voix; il énonce les faits, il analyse la situation, il pèse le pour et le contre, il en déduit l'attitude à prendre; il est solide et c'est ainsi qu'elle l'aime. Elle s'est assise sur un coussin à ses pieds et a posé la tête sur ses genoux, les yeux levés vers la bouche qui parlait, puis elle a caressé ses doigts qui sont carrés au bout mais longs et adroits; à l'école, il était toujours premier pour les travaux de mécanique.

Le vent a cessé de souffler et le ciel s'est complètement éclairci. Elle lui a offert un deuxième verre de marc et il a été trois heures. Ils ont vu dans la cour M. Maréchal qui sifflait son chien, puis M. et

Mme Maréchal sont sortis. Duval les a suivis des yeux puis a posé sur Hélène un regard de reproche. Elle n'a pas cillé. Il s'est remis à parler. Il a été quatre heures et Duval a proposé une promenade.

« Oh! non », a dit Hélène.

Elle s'est dressée et est allée résolument vers le lit. Elle a retiré le dessus de lit en filet, l'a soigneusement plié et l'a posé sur le dossier d'une chaise. Puis a rabattu le drap de dessus, comme quand on va se coucher. Elle a regardé Duval.

Il avait redressé le buste et posé les mains à plat sur les genoux, il était muet, il avait les yeux sur elle.

Elle s'est mise à rire.

Puis elle a dénoué le petit tablier à carreaux bleus et blancs, a défait les agrafes de la collerette blanche et, d'un seul geste, elle a fait passer par-dessus la tête la robe de velours noir. Elle s'est mise entre les draps et a fermé les yeux.

Il ne suffit pas d'être dans un lit pour devenir un amant. Duval surtout manquait en la matière du contrôle de lui-même, qui le fait exceller en d'autres domaines. Il fut doublement maladroit, elle n'éprouva du plaisir que les approches et se trouva néanmoins dans le risque d'avoir été engrossée. Il fit *mea culpa*.

« Bah! dit-elle, s'il m'arrive malheur, je ferais une fausse couche. »

Il protesta avec véhémence. Il se jugerait criminel. Ils en seraient quittes pour avancer le mariage et ne monter leur ménage que peu à peu.

« Tant d'histoires pour une fausse couche, s'écria-t-elle courageusement. Toutes les femmes font des fausses couches. »

Duval devina soudain.

« Ah! s'écria-t-il, qu'a-t-on fait de mon Hélène? Je te défends de revoir ces Milan. »

Hélène pressent confusément que l'amour lui réserve des joies plus lancinantes, l'entraînera dans des abîmes plus profonds. Mais comment pourrait-elle faire grief à Duval de l'avoir frustrée d'un bonheur qu'elle n'a encore jamais connu? Une adolescente est fière des transports qu'elle provoque, avant de les désirer pour elle-même; elle est étonnée et ravie du pouvoir qu'elle se découvre de déchaîner ces soupirs, ces gémissements, ces mouvements désordonnés, ce rugissement. Hélène pressa Duval contre elle, elle prit sa tête entre ses mains, elle prononça tendrement son nom, elle lui rendit grâces du plaisir qu'il avait pris dans ses bras. Duval comblé et glorieux oublia les paroles imprudentes qui venaient de lui faire pressentir les orages qui menacent sa félicité. Ils passèrent une heure d'un bonheur sans mélange.

Il fallut bien revenir aux Milan.

« Pour moi, dit Duval, un homme jeune, disons : encore jeune, qui reste oisif quand il y a tant de batailles en cours dans le monde, c'est un déserteur.

— C'est ce que je lui ai dit. Il s'est mis à rire.

— Il n'a pas de morale.

— Encore moins que tu ne crois.

— Voilà bien ce que je redoutais. Que t'a-t-il proposé?

— Non, dit-elle, non. Il ne s'agit pas de moi. »

Elle hésita, car elle ne voulait pas trahir la confiance de Milan. Mais Duval insista. C'était la première fois qu'elle le tenait librement dans ses bras, derrière la porte close, et elle n'avait jamais encore mesuré aussi complètement le pouvoir qu'elle avait sur lui. Comment repousser la prière d'une créature dont on tient le destin entre les mains? Il y faudrait la malignité de Dieu. La réticence d'Hélène aggravait les soupçons de son ami qui se faisait de plus en plus pressant.

« Si tu savais, dit-elle enfin, ah! si tu savais. Ce Milan est même un criminel. Je le crois du moins. C'est bien l'histoire d'un crime qu'il m'a racontée l'autre jour, tout le long de la route, au retour de la foire. Enfin, tu en jugeras...

— Raconte, demande Jean, raconte! »

*

« Milan, commence Hélène, avait un ami qu'il aimait plus que tout au monde. Octave et lui s'étaient connus dès l'enfance, ils avaient été ensemble au lycée, ils s'étaient retrouvés en Sorbonne, ils avaient rompu en même temps avec leurs parents; les jeunes bourgeois, affirme Milan, mettaient en ce temps-là leur orgueil à briser avec éclat les liens familiaux. L'un se consacra à la poésie, l'autre aux arts plastiques, ils vécurent à Paris, sans jamais se quitter, les années 1924-1930, — il paraît que ce furent pour les écrivains et les artistes des années fascinantes, ils participèrent ensemble à toutes les manifestations de l'époque...

« *J'aimais et j'admirais Octave, avait expliqué Milan, non seulement à cause de son talent mais aussi à cause d'un charme, d'une grâce toute particulière, qui le faisait aussi différent de tout le reste des humains qu'une licorne de toute la race des chèvres. J'étais fier et heureux de connaître un homme fabuleux. J'ai fréquenté toutes les célébrités de notre jeunesse, mais il était le seul auquel je reconnusse ce qu'on appelle du génie. Peut-être était-ce aussi une illusion? Je me méfie maintenant des mots qui travestissent en termes profanes les superstitions de la religion. Peut-être l'aimais-je tout simplement et n'usais-je des termes de l'admiration que pour me voiler une tendresse inavouable. Je me rappelle, nous avions dix-huit ans, qu'un soir d'hiver, il revenait de province, j'étais allé l'attendre à la gare de l'Est, nous avons marché côte à côte jusqu'à la place Saint-Michel, nous allions lentement, j'avais posé ma main sur son bras : ce seul contact, cette seule présence, me remplissaient d'un bonheur dont jamais par la suite les transports de l'amour ne m'apportèrent l'équivalent. Telle était ma ferveur.* »

« ... Quand Milan, poursuit la jeune fille, connut Roberte, il lui parla tout de suite d'Octave. Il faisait sans cesse son éloge. Il les fit rencontrer. Ils sortirent souvent ensemble.

« Octave traversait une sombre période. Personne ne lisait ses poèmes...

« *La poésie française, avait dit Milan, dans les années qui précédèrent et suivirent la première guerre mondiale, s'était raffinée à tel point qu'elle n'était finalement plus accessible qu'à un très petit public, composé lui-même presque exclusivement de poètes. Dans l'extrême jeunesse, un écrivain accepte volontiers la perspective de n'écrire à la rigueur que pour lui-même; il y voit même un gage de pureté. Mais à mesure qu'il mûrit, il ressent de façon plus pressante le besoin d'avoir une audience; au-delà de l'adolescence, l'onanisme ne comble plus. Octave s'essaya au ton épique, à la satire, à des chansons; « les poèmes de Hugo, répétait-il en cette période de sa vie, ont été sur toutes les lèvres et le peuple de Paris tout entier s'est pressé aux funérailles de son poète* ». *Mais il s'était si longtemps contraint à n'utiliser les mots que par détour, comme une matière plastique avec laquelle façonner des sortes d'objets, qu'il ne fut plus capable que de balbutier, quand il voulut donner une signification à son chant. Il fut au désespoir. Il en vint à ne plus aimer que les calembours, les coq-à-l'âne ou des jeux dérisoires tels que de dénaturer des proverbes : « Il faut battre sa mère tant qu'elle est chaude »; c'était une manière de mettre en évidence ce qu'il appelait avec son ami Jacques Vaché « le sens théâtral de l'inutilité totale de tout ». Tout cela irritait plutôt Roberte qui avait des appétits vigoureux et le goût des plaisirs. »*

« ... Octave, poursuit Hélène, se sentait inutile, il s'ennuyait, il buvait beaucoup, il était ivre tous les soirs. Roberte ne l'aimait guère.

« Roberte et Milan s'étaient épris l'un de l'autre dès l'instant qu'ils s'étaient vus. Mais leurs amours furent orageuses...

« *Roberte, comme Octave, était à sa manière une licorne, un être fabuleux ou, tout au moins, tel le levraut dont je vous ai parlé, semblable aux animaux sauvages qu'on n'apprivoise pas et qui meurent plutôt que de se soumettre. Moi, je place au-dessus de tout cette possession de soi que Descartes appelle vertu et dont l'autre nom est liberté. Bien vite nous nous sommes détestés de trop nous aimer et d'être pour ainsi dire enchaînés par le besoin que nous avions l'un de l'autre.*

« *Je convoitais ses amies, moins par un goût réel que pour me prouver à moi-même, pour lui prouver et pour leur prouver, que mon attachement n'était pas exclusif. Elle fit visite à ses frères, une fois à Naples, une fois à Londres, elle me conta dans ses lettres les fêtes auxquelles elle avait participé, les hommages qu'elle recevait, son peu de désir de revenir à Paris; c'était nous démontrer que ma présence n'était pas indispensable à son bonheur. Ensemble, nous ne cessions de nous quereller et nous évoquions dix fois par nuit un proche avenir d'où l'autre était toujours absent.* »

« ... Au dix-huitième mois de leur liaison, Milan prit l'initiative de rompre avec Roberte. Il partit pour un long voyage afin d'éviter toute occasion de réconciliation. Mais bientôt il regretta sa décision...

« *Dans les premiers jours de notre séparation, avait raconté Milan, je me sentis heureux, dispos et léger, comme l'enfant à l'entrée des vacances, le conscrit le jour de la classe, le roi qui vient d'abdiquer, le vicieux guéri de son vice, — mais vous ne savez pas ce que c'est qu'un vice. Puis j'eus besoin de Roberte. Cela se manifesta tout soudainement, il m'en souvient avec beaucoup de précision, c'était le dix-septième jour après mon départ, vers quatre heures de l'après-midi. Une angoisse d'abord, un vide où je tombai puis qui se creusa au nœud des nerfs solaires, qui s'agrandit enfin jusqu'à devenir identique à la totalité de moi-même. C'était aussi un appel, un manque, un creux dans chaque muscle, dans chaque parcelle de chair, dans chaque cellule. Comment décrire le besoin de l'être aimé? La faim, la soif, le manque d'air ne touchent qu'une part de nous-même; quand Roberte me manquait, je criais tout entier. Ne plus s'appartenir, ne plus se posséder est la pire des humiliations. C'est pourquoi deux amants qui s'aiment de passion ne peuvent que se détester, comme l'ivrogne déteste le vin, le drogué la drogue, le joueur les cartes et le pédéraste les invertis. La passion qui enchaîne l'un à l'autre deux êtres libres ne peut se terminer que par la destruction de l'un ou de l'autre; c'est un duel à mort.* « *Mais, avait protesté Hélène, toutes les passions ne sont pas fatales.* » *Bien sûr, avait répondu Milan. C'est aussi que les êtres libres sont rares. Seuls les souverains peuvent devenir héros de tragédie. Les amours de leurs sujets forment le nœud des comédies.* »

« ... Quand Milan, poursuit la jeune fille, revint à Paris, Roberte était devenue la maîtresse d'Octave et elle vivait chez lui.

— C'est une garce, dit Duval.

— Qui pouvait mieux qu'Octave exciter la

jalousie de Milan? Elle avait imaginé de s'attacher celui-là pour reconquérir celui-ci.

— S'ils avaient été des hommes, ils se seraient mis d'accord pour la congédier et ne jamais la revoir.

— L'amour n'est pas si simple », répond Hélène, qui a appris beaucoup de choses depuis huit jours.

« Milan, poursuit-elle, alla trouver Octave et lui dit qu'il avait besoin de Roberte. « Moi aussi, « répondit Octave. Je l'aime. J'ai enfin trouvé une « raison d'être. Je ne peux pas te la céder, cela « dépasse l'amitié. » Après un long débat, ils décidèrent de s'en remettre au jugement de Roberte. « J'aime Octave, dit celle-ci, qui ne se trouvait pas « suffisamment vengée. Mais j'aime Milan comme « un frère et j'entends bien qu'il continuera de « nous fréquenter comme naguère Octave fré- « quentait Milan et moi. »

— Une putain! dit Duval.

— Elle triomphait. Souvent, elle sortait jusqu'à l'aube, les laissant face à face. Elle faisait payer à l'un d'avoir tenté de se délivrer d'elle, à l'autre de ne pas éprouver pour lui l'amour qu'elle lui déclarait.

« Milan s'éloigna une seconde fois. Il partit sans les prévenir. Il revint au bout d'une semaine. Il courut chez eux.

« Octave cacha à peine le déplaisir qu'il éprouvait de le revoir. Ses traits étaient tirés et sa mine défaite, Roberte lui avait mené la vie dure. Milan se trouva pendant un instant seul avec elle.

« — Pourquoi, lui cria-t-elle, ne m'as-tu rien « dit? Où étais-tu? J'étais folle, je t'aime, je n'ai « jamais aimé que toi. »

« Ils se retrouvèrent le même soir dans un bar de nuit. « Je t'aime, je t'aime », répétait Roberte. « Il faut maintenant le dire à Octave », exigeait Milan. « Je n'ose pas », répondait-elle.

« — Tu vas rentrer chez lui cette nuit? de-« manda Milan.

« — Il le faut bien, gémit Roberte. Ah! com-« ment sortir de là? »

« A onze heures, Octave fit appeler Roberte au téléphone.

« — Il m'ennuie, dit-elle à Milan, va lui ré-« pondre, dis-lui ce que tu veux, il doit être ivre, « dis-lui que je rentre.

« — Roberte est là? demanda Octave, ah! je « m'en doutais, elle passe la vie dans cette boîte, « elle va encore rentrer au matin, je n'en peux « plus, avec qui est-elle? tu n'en sais rien? Ecoute-« moi bien, je suis à bout, je ne peux pas passer « encore une nuit à l'attendre. Si elle ne rentre « pas avant minuit, je me tire une balle dans la « tête, avertis-la, préviens-la, explique-lui, insiste, « tu me connais, tu sais que je ne bluffe pas, ne « lui dis pas que j'ai souvent pensé à me tuer « bien avant qu'elle ne mette le comble au déri-

« soire de mon existence. Milan, mon frère, je « suis tellement fatigué, je souhaite presque « qu'elle ne rentre pas. »

« Milan revint auprès de Roberte, à sa place favorite, tout près de l'orchestre; elle ne craignait pas le bruit.

« — Il est inquiet? demanda-t-elle.

« — Ce n'était pas Octave, répondit Milan. Un « certain Pierre, de la part de ton frère, j'ai mal « compris...

« — Je ne vois pas », dit Roberte.

« Quand elle rentra à l'aube, Octave s'était tué.

— Milan est encore plus ignoble qu'elle, dit Duval.

— C'est bien un crime? demande Hélène.

— Le pire des crimes, dit Duval, le crime d'un lâche. »

« Serait-ce donc aussi un lâche? » s'étonne Hélène.

....

Le soir, ils allèrent à l'auberge. C'est une salle tout en longueur. A l'entrée, là où sont groupées les tables de noyer ciré, il n'y avait que des hommes; Radiguet, Auguste et Bourret trinquaient et discutaient avec des voisins. Dans le fond, la jeunesse dansait au son d'un phonographe; les filles étaient assises sur des bancs, le long des murs. Hélène et Duval trouvèrent une petite table, un peu à l'écart, entre buveurs et danseurs; ils commandèrent deux verres de bière panachée de limonade.

Roberte et Milan arrivèrent vers les dix heures. Elle portait un chandail bleu sombre à col roulé, un pantalon de velours et des chaussures à talon bottier; ses cheveux courts et plats étaient rejetés en arrière. Milan avait passé un pull-over sur une chemise blanche à col ouvert, il avait les pieds nus dans des espadrilles, il jouait avec son bâton de houx accroché au poignet par le lacet de cuir.

Bourret avait raconté l'intervention de Roberte au cours du vêlage de la Blonde. On la plaisanta, elle répondit gaillardement. Elle s'assit à côté de Radiguet qui lui offrit un verre de marc puis elle commanda une tournée. Milan alla d'une table à l'autre, il connaissait maintenant tout le monde, il eut un colloque avec Auguste, il était très à l'aise. Il découvrit dans leur coin Hélène et Duval.

« ... mon fiancé.

— Hélène nous a beaucoup parlé de vous... »

Duval s'était levé.

« ... Je connais votre ingénieur en chef, je l'ai rencontré à Paris, c'est un homme remarquable. Il m'a raconté les difficultés de l'an dernier quand il est tombé sur cette couche de roches dures... Qu'est-ce que vous faites exactement? J'aurais aimé un métier comme le vôtre.

— Oui, monsieur, répondait Duval; non, monsieur; pendrez-vous un verre avec nous? »

Il était toujours debout.

« Asseyez-vous, dit Milan.

« ... le mois dernier, vous avez manqué de ciment. Je pense que c'est arrangé. Votre syndicat, n'est-ce pas, est intervenu auprès du syndicat des cimentiers? C'est du bon travail.

— Vous êtes au courant?

— Bien sûr. »

Et à Hélène :

« Vous entendez? *On the sunny side of the street,* un vieux disque, c'est la chanson dont je vous ai parlé l'autre jour, qui, parce que nous l'avions souvent entendue ensemble, me faisait pleurer lorsque j'étais tellement dans le besoin de Roberte... »

Il donnait l'impression de ne pas trop prêter attention à ce qu'il disait. Evidemment, il examinait Duval. Son regard se promenait sans se poser sur les mains solides, les lèvres minces, les cheveux rudes, les joues roses. Hélène les redécouvrait à mesure. Le disque fut changé, un tango commença.

« A tout à l'heure », dit brusquement Milan.

Il posa son bâton contre leur table et alla inviter Roberte. Ils dansèrent. Ils passaient et repassaient. Duval venait seulement de se rasseoir, Hélène le regardait.

« A voir comme cela, dit Duval, à l'entendre, il semble plutôt bien... »

Quand le tango fut terminé, Roberte vint à son tour se faire présenter le fiancé.

« Il faudra venir nous voir avec Hélène, dimanche prochain.

— Bien volontiers, madame.

— A demain », dit Roberte à Hélène.

Elle s'en alla.

« Pourquoi à demain »? demanda Duval.

— Est-ce que je sais, moi? » répondit Hélène.

Ils restèrent silencieux pendant la demi-heure qu'ils passèrent encore ensemble.

A onze heures, Duval, comme les autres dimanches, alla chercher son vélo. Hélène lui fit quelques pas de conduite. Il remit les pinces à son pantalon. Ils s'embrassèrent.

« Cette fois, dit-il, le vent va me pousser. »

CHAPITRE V

Le mercredi, Roberte obtint enfin qu'ils allassent tenter leur chance à la roulette. Ils emmenèrent Hélène qui n'était jamais entrée dans un casino.

« Vous ne serez pas obligée de jouer », avait expliqué Roberte.

Comme Hélène n'était pas majeure, il fallut, avant le départ, truquer sa carte d'identité pour qu'on ne lui interdît pas l'entrée de la salle de jeu.

Milan possédait 360 000 francs à son arrivée au village. C'était toute sa fortune, qu'il avait estimée suffisante pour son projet; pendant l'été 1947, à la campagne, un couple vivait à l'aise avec 30 000 francs par mois; ils achetaient le marc de l'année, chez des voisins, à 300 francs le litre. Il emporta à Aix 30 000 francs, 20 000 pour Roberte, 10 000 pour lui; s'ils perdaient tout, le déficit pourrait être réparti sur les mois suivants, sans que leur niveau de vie s'en trouvât sensiblement abaissé

Il prit le volant; Roberte, en tailleur, était assise à son côté, Hélène derrière; il la regardait dans le rétroviseur; elle avait mis sa robe de velours noir, c'était la première fois qu'il la voyait avec du rouge aux lèvres, à part cela nul maquillage et, comme d'habitude, le foulard bleu sur la tête, avec les cheveux blonds bouffant sur le front. La veille, il avait fait régler les soupapes et la voiture obéissait fidèlement; il aime cette sensation d'arracher les roues arrière que procure un moteur souple quand le chauffeur accélère dans un virage; il s'appliqua à prendre les virages à la limite de stabilité de la voiture.

« Dites un chiffre, demanda Roberte.

— 29, dit Hélène.

— C'est un de mes chiffres, cria Roberte, je vais gagner! »

Il fallut expliquer à Hélène les règles de la roulette, cela dura cinquante kilomètres. Ils entrèrent dans la montagne; les virages devinrent de plus en plus grisants; la voiture bondissait sous le pied de Milan.

« Mais pourquoi Mme Milan prétend-elle que certains chiffres lui sont plus favorables que d'autres? demanda Hélène, qui comprenait enfin le calcul des probabilités.

— C'est parce qu'elle est têtue, dit Milan. Elle entend plier la chance à sa volonté. On se comporte à la roulette comme dans la vie. Aucune sorte de prestige n'intimide Roberte et elle se soucie peu des lois. Elle « possède les gens à l'influence ». L'intransigeance est sa force et la force de caractère sa vertu.

— Je gagne, dit Roberte, et même contre toi.

— Tu sais bien qu'on ne peut se tenir pour certain d'avoir gagné tant que la dernière boule n'a pas été jouée.

— Et vous, demanda Hélène. Quelle est votre méthode?

— Je sais perdre », dit Milan.

Le directeur du casino connaissait Milan dont les travaux avaient fait quelque bruit à Paris, au début de la saison. Il s'empressa. Milan présenta Hélène.

« Notre fille adoptive.

— Pourquoi avoir dit cela? » demanda ensuite Hélène.

Milan lui sourit.

« Je suis de bonne humeur », dit-il.

Déjà Roberte annonçait son jeu : « Zéro, 17, 26, 29, par 25 louis. »

Milan poussa Hélène vers une autre table, il mit 10 louis sur le 8, le 8 sortit, il reçut 7 000 francs.

« Oh! » fit Hélène, en voyant les grandes plaques blanches que le croupier poussait vers lui.

Il joua par 10 louis le 8, les chevaux du 8 et les carrés du 8. Le 8 sortit pour la seconde fois. Il reçut 7 000 francs pour le numéro plein,

21 000 francs pour les chevaux et 7 000 francs pour les carrés.

« C'est merveilleux! » s'écria Hélène.

Une femme dont le maquillage tenait mal — semblable à une *décalcomanie* appliquée par une main tremblante — et qui avait perdu, la regarda furieusement. Hélène eut un mouvement d'effroi.

Un garçon à la peau grise couvrait des feuilles volantes d'un vertigineux calcul; il poussa un louis sur le tapis.

« Impair, cria-t-il au croupier.

— Il va perdre, dit Milan, en poussant une plaque de 1 000 francs sur pair.

— Comment faites-vous? demanda Hélène.

— Je suis heureux ce soir, répondit-il.

— ... pair, noir et manque », annonça le croupier.

Milan toucha 2 000 et les laissa, il toucha 4 000 qu'il laissa, il reçut 8 000. Le jeune homme avait martingalisé sur impair, il perdait 7 louis. Il ne restait plus qu'un louis devant lui.

« On danse mal quand on regarde ses pieds, dit Milan. Il faut se laisser aller au bonheur. L'homme heureux danse bien, gagne au jeu et dans la vie, c'est son bonheur. On parle toujours du bonheur de César. »

Il perdit 1 000 francs sur le 36.

« J'ai été présomptueux », dit-il.

Le 36 sortit au coup suivant; il n'avait pas joué. Il se balança légèrement, d'un pied sur l'autre, en regardant Hélène avec des yeux qui souriaient. Puis il misa 1 000 francs sur la troisième douzaine et laissa porter deux fois ses gains, il toucha 27 000 francs.

« C'est fantastique », dit Hélène.

Il poussa vers elle quelques plaques de 1 000 : « Essayez votre bonheur!

— Je ne sais pas, je n'ose pas. »

Le croupier lança la boule. Hélène poussa précipitamment une plaque sur le zéro. Milan ne joua pas. Le zéro sortit et Hélène toucha 35 000 francs

« Quoi? quoi? disait-elle.

— Bien sûr », dit Milan.

Elle reperdit 15 000 francs dans les coups suivants.

Il eut des chances variées.

« Je suis fatigué, dit-il soudain. Allons boire un verre. »

Roberte le cherchait. Elle avait perdu tout son capital.

« Mes numéros ne sont pas sortis une seule fois! » dit-elle furieusement.

Il lui donna 30 000 francs. Elle repartit aussitôt. Ils l'entendirent annoncer :

« Zéro, 17, 26, 29 par 10 louis. »

Elle n'avait pas regardé Hélène.

De leurs gains, il restait encore 65 000 francs à Milan et 20 000 à Hélène. Ils allèrent au bar où il commanda une bouteille de champagne.

Hélène énuméra tout ce qu'elle allait acheter avec ses vingt mille francs : des chaussures de daim à semelles de crêpe, des pneus pour sa bicyclette — ce serait raisonnable —, un album de reproductions en couleurs des toiles de Gauguin. Ou bien renoncer aux chaussures et à l'album pour un poste de radio, elle écouterait les concerts du dimanche.

Des connaissances saluaient Milan. Un couple vint s'asseoir à leur table.

« ... la fête chez Emilie, évoqua la femme. Milan fut ce soir-là si mufle que j'ai failli l'aimer. »

Hélène posa sur elle son regard franc. L'homme regarda Hélène à la dérobée et fit un clin d'œil à Milan pour le féliciter.

« Et Roberte? demanda la femme.

— Elle joue. »

Milan la fit danser.

« Ta dernière conquête? demanda-t-elle.

— Notre fille adoptive. »

Elle rit bruyamment.

« Tu es une garce », dit-il.

Elle se serra contre lui.

Cependant l'homme demandait à Hélène dans quel hôtel ils étaient descendus.

« Nous n'habitons pas à Aix », répondit-elle.

Puis elle rougit.

« Comme vous rougissez joliment. »

Elle devint pourpre. Milan revenait avec sa danseuse. Il fronça les sourcils.

« Ne corrompez pas la pupille de Milan », dit la femme.

Hélène promena son regard des uns aux autres.

« Hélène n'a pas encore vingt ans, dit Milan en regardant insolemment la femme.

— Attrape », dit l'homme.

Dès qu'ils se furent éloignés :

« Qu'est-ce que cela veut dire? demanda Hélène.

— Ils jouent, répondit Milan. Mais je préfère la roulette. »

Il la fit danser, mais toute la joie de la jeune fille était partie et elle dansa mal. Il insista pour qu'elle bût coup sur coup deux coupes de champagne. Elle reprit un peu d'animation à voir la femme au vilain maquillage s'agiter et à l'écouter expliquer au barman qu'elle venait de perdre parce qu'on avait changé le croupier entre deux coups d'une martingale qu'elle faisait sur le tiers du cylindre.

« C'est une filouterie», grondait-elle.

Milan dut expliquer les combinaisons basées sur la distribution des numéros autour du cylindre fatal et les superstitions relatives à la main des croupiers, comment enfin les mouvements de la roulette, soumis à des lois aussi inéluctables que celles qui régissent le cours des astres, ont pareillement donné naissance à toute une mythologie. Mais il était devenu maussade.

Roberte surgit. Elle les cherchait partout.

« Où en es-tu? demanda-t-elle.

— Comme ça, répondit-il. Et toi?

— Le 26 est sorti la seule fois que je ne l'avais pas joué et le 29 deux fois de suite à la table voisine. »

Il refusa une nouvelle mise de fonds :

« Il ne faut pas s'enferrer. Tu le sais mieux que moi, c'est toi qui me l'as appris. Repose-toi, bois un verre, change de pas pour retrouver la mesure. »

Elle insista. Quand elle jouait, elle oubliait même de boire. Milan commanda pour elle un double gin qu'elle but d'un trait.

« Je sens, gémit-elle, que mes numéros sont en train de sortir. »

Son maquillage, tout comme celui de la femme au tiers du cylindre, ne tenait plus. Hélène pensa que c'était probablement un effet habituel de la passion pour le jeu. Milan lui donna une plaque de mille.

« Ce n'est pas assez pour me refaire », protesta-t-elle.

Mais elle se leva aussitôt.

« Pourquoi êtes-vous si dur? » s'indigna Hélène.

Elle courut après Roberte.

« Moi, j'ai gagné », dit-elle.

Elle lui tendit deux plaques de 5 000 francs. Elle haletait, ses yeux brillaient, tout son visage riait.

« Je te les rendrai tout à l'heure », dit Roberte.

Elle fila vers la salle de jeu. Hélène revint vers Milan. Passa une artiste de cinéma à laquelle Milan présenta Hélène. Elle jeta un regard sur la jeune fille.

« Et Roberte? demanda-t-elle.

— Elle joue. »

Hélène se fit répéter le nom.

« C'est elle, c'est donc elle... »

Ils retournèrent dans la salle de roulette.

Milan misa sur le 8 et perdit. Il joua successivement, à l'opposé du tapis, le 31, le 28 et le 27; le 4, le 9 et le 7 gagnèrent. Il revint vers les premiers et joua tour à tour les chevaux du 8, la transversale 7-9, la transversale double 7-12; le 25, le 13 et le 36 gagnèrent. Il misa 1 000 francs sur le 36, le 8 sortit.

« Vous n'êtes plus heureux, murmura Hélène.

— Si », dit-il.

Il joua 5 000 francs sur les 4 premiers. Le 5 sortit.

« Quand on est maladroit, dit-il, il faut essayer le calcul. »

Il joua systématiquement la douzaine qui restait le plus longtemps sans sortir, en laissant porter deux fois les gains, mais jamais plus la même douzaine ne sortit trois fois de suite. Enfin, de ses gains et de son capital de départ réunis, il ne lui resta plus que mille francs. Il le signala à Hélène qui se tenait debout près de lui, un peu raide, les mains crispées sur le rebord de la table.

Il misa sa dernière plaque de mille sur le rouge. Le rouge gagna. Il laissa porter. Il eut successivement sur le tapis 2, 4, 8 puis 16 000 francs.

« Retirez-les, dit Hélène.

— Non. J'ai juré de laisser porter six fois. Nous aurons 64 000 francs, nous serons vengés. »

Le rouge sortit encore. Il eut 32 000 francs sur le tapis.

« Retirez-les et allons-nous-en, dit Hélène.

— Il faut être digne de son bonheur, dit-il.

— Noir », annonça le croupier.

Hélène sortit de son sac ses deux dernières plaques de 5 000 francs, tout ce qui restait du poste de radio, des pneus, des chaussures et des Gauguin.

Elle les mit devant lui.

« Essayez encore, dit-elle.

— Non...

— Je vous le demande, insista-t-elle.

— Venez », dit-il.

Il se retourna vers la salle, cherchant Roberte du regard. Il entendit Hélène dire d'une voix ferme :

« Dix mille sur le noir! »

Il revint à elle.

« C'est pour vous que je joue, s'écria-t-elle avec feu.

— Rouge », annonça le croupier.

Le râteau enleva les deux larges plaques blanches à chiffres bleus.

« Faites vos jeux », cria le croupier.

Hélène se détourna et se trouva face à face avec Milan qui la regardait. Elle releva crânement la tête.

« Et voilà », dit-elle.

Ses joues étaient enflammées.

« Ainsi va le jeu », dit-elle encore.

Il lui sourit, avança d'un pas et l'attira légèrement contre lui. Durant l'espace d'une seconde, elle appuya la joue contre sa joue. Puis ils marchèrent côte à côte vers les autres tables. Bientôt ils découvrirent Roberte.

Debout et penchée sur la table, elle touchait les gains d'un coup heureux. Le 26 venait de sortir qu'elle avait joué en plein.

— C'est aussi à moi, cria-t-elle au croupier en désignant la plaque posée sur la transversale double 25-30.

« Et celui-ci aussi, en désignant le cheval 26-29.

« Et encore ça », en désignant la troisième douzaine.

Elle jubilait.

Hélène pour la seconde fois oublia les rides sous les yeux, le pli au coin de la lèvre et, comme l'autre matin dans la cour de la ferme, la trouva belle. Quand un bûcher est tout entier embrasé, le spectateur ébloui par l'éclat de la flamme ne distingue plus la forme des branches ni les nœuds du bois.

« Elle flambe », dit Milan.

Il expliqua à Hélène la signification que le mot a pris dans l'argot des joueurs, avec quel bonheur il exprime à la fois la flamme intérieure qui les dévore, le flux et le reflux du sang entre l'annonce de la mise et le dénouement du coup, les égarements et l'exaltation de leur passion. Le jeu est de la couleur du feu.

« Essayez, dit-il encore, de vous souvenir du visage de Roberte quand vous êtes loin d'elle. Vous retrouverez l'expression d'un sourire, d'une détresse, d'un mouvement de rage, mais vous serez impuissante à ressusciter la structure du visage. C'est que ses traits tout en courbes ne prennent forme que dans la flamme qui la consume; dès qu'elle cesse de brûler, ils se dénouent et ne laissent à nos yeux que le masque inachevé de l'enfance. Roberte est fille du feu. Le jeu, l'alcool ou l'amour ne lui sont que prétexte à flamber. Telle est sans doute l'explication de la fascination qu'elle a si longtemps exercée sur moi. »

Il évoqua le premier été qu'ils avaient passé ensemble. Ils se retrouvaient, vers les dix heures, près de la Madeleine. C'était déjà l'instant de gagner les bars de nuit. Des lueurs mauves et roses traînaient encore au ras des toits, du côté de Saint-Augustin. Ils montaient lentement vers Montmartre. Roberte portait une robe de dîner bleu sombre faite d'une étoffe légère et travaillée, assemblage de nuit et de jour ténu et aérien comme la toile hexagonale que l'araignée épeire suspend entre deux branches. Milan tenait dans la main son bras nu, il guettait la flamme qui allait soudain lui rendre le visage aimé perdu depuis le matin; un rien suffisait à l'allumer, un mot dicté par l'amour, un souvenir ou le projet d'un voyage, le chant de la mulâtresse du Melody's, un doigt d'alcool; ce fut cette année-là que Roberte commença de boire.

« Comme vous l'aimez », dit Hélène.

Roberte les aperçut.

« Où en es-tu? demanda-t-elle.

— Fini.

— Moi, je me défends. »

Hélène et Milan s'approchèrent de la table. Roberte poussa vers Hélène une poignée de jetons de cent francs.

« Amuse-toi, dit-elle, je te rendrai le reste tout à l'heure. »

Hélène misa 200 francs sur le 8. Milan s'éloigna, sortit et gagna le jardin puis le bord du lac. L'orchestre du casino jouait un tango. Octave, lorsqu'ils avaient tous deux quinze ans, était allé passer les vacances, avec ses parents, à Saint-Malo; au retour, il avait raconté à Milan ses promenades nocturnes sur la plage : « J'étais seul, je marchais dans le vent, on jouait un tango au casino de Paramé. » A seize ans, au lendemain des leçons de danse, la première fois qu'ils étaient allés au dancing, Milan avait invité une inconnue, il avait marché trois mesures; « il faut apprendre à danser », avait-elle dit, elle s'était détachée et était retournée s'asseoir; la danse était un tango. Pendant des années, il n'avait pu entendre un tango sans qu'aussitôt sa poitrine se contractât d'angoisse. Octave dansait en mesure et était moins timide, les filles le préféraient; il devint cette année-là amoureux de Violette; la grande affaire était de trouver de l'argent tous les dimanches pour l'emmener au cinéma ou au dancing. Quand vint l'anniversaire de Violette, Octave n'avait plus que cinquante francs. « Dois-je envoyer pour cinquante francs de fleurs? avait-il demandé à Milan, mais demain je ne pourrai pas sortir avec elle. » En 1923, on achetait énormément de fleurs avec cinquante francs. « Envoie les fleurs, avait conseillé Milan, il est indigne de nous de penser au lendemain »...

« Pas de chance au jeu, mais votre fille adoptive est bien belle! »

Le directeur du casino, une jeune femme à chaque bras, était devant Milan qui avait failli se cogner à lui. Il fit les présentations.

« Il ne faut pas vous suicider », dit l'une des jeunes femmes.

Elle était petite, noire, potelée et souriait en le regardant dans les yeux.

« Il préfère les blondes », dit le directeur du casino.

Il prit Milan par le bras et s'éloigna de trois pas avec lui.

« Puis-je vous rendre service? demanda-t-il.

— Oui, dit Milan, changez-moi un chèque. »

Quand il eut dans la poche 100 000 francs en plaques de 5 000, il gagna le bar et but coup sur coup deux gin sec. Puis il entra dans la salle de chemin de fer. Aucune place n'était libre; il alla d'une table à l'autre, tantôt misant « avec la table », tantôt lançant le solennel « banco prime! » qui fait relever toutes les têtes; il aimait cela. Il ne toucha pas une seule fois et, après vingt minutes, il ne lui resta plus qu'une plaque de 5 000.

« On croirait que vous êtes impatient de perdre », dit une voix.

Il se retourna. C'était la noiraude.

« Oui, dit-il, quand je me sens en déveine, j'ai hâte d'en finir.

— Vous aurez bientôt fini? »

Il fit sauter dans sa main l'ultime plaque.

« ... tout ce qui me reste.

— Alors, emmenez-moi au bar. »

Elle commanda une coupe de champagne, lui un gin sec qu'il but d'un trait puis il en commanda un autre.

« Vous êtes joueur!

— Non, dit-il, je ne flambe pas. Mais je déteste

perdre. C'est une disgrâce. C'est comme d'être timide avec les femmes.

— Vous êtes timide avec les femmes, vous?

— Ce soir, sûrement, je perds sur tous les tableaux. »

Sous la chemisette de soie écrue la gorge semblait bien faite. Il toucha pour s'en assurer.

« C'est du vrai, dit-elle.

— La pleine lune nous invite à faire un tour sur le lac.

— O temps, suspends ton vol! » déclama-t-elle.

Ils allèrent pour sortir. Ils croisèrent un metteur en scène pour lequel il avait fait des décors l'année précédente.

« Une seconde, s'excusa Milan.

— Peux-tu me changer un chèque? demanda-t-il.

— Combien?

— Cinquante mille. »

Il rédigea le chèque et reçut dix plaques de cinq mille.

Il retourna à la noiraude.

« Allons d'abord essayer notre bonheur, dit-il.

— Bonne chance », dit-elle.

Elle s'éloigna de trois pas, puis, se retournant :

« J'imagine que je ne *perds* pas grand-chose. »

Il retourna dans la salle de chemin de fer, prit une main à 5 000 et avec des chances diverses mit une demi-heure pour perdre ses dix plaques. Il était une heure et demie, il alla encore boire deux gin sec. Il calcula qu'il avait perdu dans la soirée 180 000 francs, soit six mois de séjour au village; ce n'est pas encore cette année qu'il vivra à la campagne le cycle complet des saisons; à moins que Roberte n'ait gagné; cela était déjà arrivé. Il regagna la salle de roulette cinq minutes avant la fermeture. Roberte était assise et Hélène debout près d'elle.

« Le voilà, fit joyeusement Hélène.

— J'étais inquiète, ajouta-t-elle.

— Quand j'ai perdu, dit-il, je vais me promener.

— Milan n'est pas joueur », dit Roberte.

Le croupier annonça la dernière boule.

Roberte joua zéro, 17, 26, 29 par dix louis, Hélène le zéro et Milan mit sa dernière plaque de mille sur la première douzaine. Le 24 sortit. Il restait 600 francs à Milan et 4 000 à Roberte et Hélène qui avaient finalement mis leur capital en commun.

« Bah! dit Roberte, nous n'avons même pas perdu tout ce que nous avions décidé de pouvoir perdre.

— Je déteste perdre, dit Milan.

— Tu es ivre », dit gentiment Roberte.

Avant de quitter le casino, ils retournèrent au bar où Milan et Roberte burent chacun deux gin sec et Hélène une coupe de champagne.

« Est-il vraiment ivre? » demanda Hélène à voix basse.

Milan se tenait raide, à peine congestionné, muet.

« Il est complètement soûl », dit Roberte.

Milan essaya de sourire, le sourire esquissé resta figé sur son visage...

Roberte l'attira contre elle.

« Mon Milan », dit-elle, en lui étreignant les épaules.

Sa voix était tendre. Elle aimait qu'il fût ivre. A condition qu'il eût beaucoup bu, elle ne lui gardait rigueur de rien, ni des mots durs, ni même des coups, aucun soin ne la rebutait, elle était pour un ivrogne la plus patiente des infirmières.

Ils partirent à la recherche de la voiture. Roberte tenait Milan par le bras, Hélène marchait à côté d'eux, en ajustant sur ses cheveux blonds son foulard bleu à pois rouges. Milan ne parvint pas à mettre la clef dans la serrure de la portière.

« Donne », dit Roberte.

Elle trouva tout de suite la serrure. Hélène s'assit dans le fond en se contractant pour laisser plus de place à son côté.

« Je vais le soigner, dit-elle.

— Je conduis, grogna Milan.

— Mais vous êtes... malade, dit timidement Hélène.

— Milan conduit très bien quand il est soûl », dit Roberte.

CHAPITRE VI

Le lendemain, Milan entreprit d'écrire à Louvet qu'il quitterait le village bien plus tôt qu'il n'avait d'abord pensé, avant le Nouvel An vraisemblablement, et qu'il pouvait donc accepter le travail que son ami lui proposait. Mais comme il ne voulait ni révéler qu'il venait de perdre 180 000 francs au jeu, — l'austérité de Louvet s'en fût offusquée —, ni masquer sous une fallacieuse idéologie le vrai motif de sa décision, — l'honnêteté dans ce domaine lui tenait au cœur —, la lettre n'était pas commode à écrire. Il s'y était mis tout de suite après déjeuner et il jetait les brouillons, à mesure qu'il en était mécontent, dans la grande cheminée du salon où un feu de bois venait d'être allumé, pour la première fois de la saison. Le vent d'équinoxe soufflait plus fort que jamais et avait fraîchi au cours de la nuit.

Roberte avait convoqué Auguste pour couper du bois et la Bourret pour faire la lessive. Celle-ci essorait le linge sous l'auvent de la façade et celui-là, malgré le grand vent, avait sorti l'ixe du bûcher afin de ne rien perdre des conversations. La bouteille de marc était comme d'habitude sur le piano et Roberte portait un verre tantôt à l'un, tantôt à l'autre, et s'amusait à voir la Bourret s'empourprer. Mais elle-même n'avait pas dépassé ses doses habituelles et n'était pas ivre.

« Ah! dit la Bourret, quelle chance vous avez de ne pas avoir d'enfant. Moi, à chaque coup, je suis prise...

— C'est que je fais attention, répondit Roberte.

— Je m'en doutais : vous avez un secret!

— Le seul secret, c'est de ne pas être paresseuse.

— Quoi? » s'étonna la Bourret.

En une courte sentence, Roberte lui expliqua les bienfaits de l'eau glacée utilisée à temps. Elle choisit les mots les plus crus.

« Cette Mme Milan!

— Ah! ah! » ricana Auguste.

Le dialogue parvenait par bribes à Milan. Il écrivit :

« ... depuis que nous nous sommes enfermés ici, il arrive de plus en plus fréquemment que Roberte m'agace et pour les raisons mêmes qui m'enchantaient jadis. J'ai tant aimé son aisance, sa désinvolture et qu'elle ne fût absolument pas « bourgeoise ». J'avais, il t'en souvient, l'habitude de dire qu'elle était « grossière comme une duchesse ». Pourquoi dois-je aujourd'hui faire appel à toute ma « morale » pour ne pas lui reprocher les expressions sans détour dont je la félicitais? Est-ce parce qu'au village la familiarité provoque plus qu'ailleurs l'irrespect et qu'il m'est pénible de deviner des ricanements qu'elle ne soupçonne pas ou refuse de soupçonner? N'est-ce pas plutôt que les mêmes mots changent de résonance lorsque de la bouche qui les prononce s'est effacé l'éclat de la jeunesse? Au fait, je viens de comprendre la comparaison si fréquente dans les *Mille et une Nuits* entre la beauté d'une adolescente et la lune en son quatorzième jour, c'est-à-dire la pleine lune. Nous nous étions étonnés ensemble de cette prédilection pour les formes pleines; et n'est-ce pas contradictoire puisqu'il est dit de la même jeune fille : « ... svelte, élancée, à la taille mince d'abeille... tout son corps est plus fin et plus pliant que la branche tendre du saule... »? Mais c'est l'éclat de la pleine lune, telle qu'on la voit en Orient, qui s'ajoute à toutes ces merveilles comme à la jeunesse sa fleur. Rappelle-toi l'astre des nuits dans le ciel sans nuées du désert, l'éclat d'un jeune visage... »

Puis Milan pensa qu'il était malhonnête de faire croire à Louvet que c'était à cause d'un différend avec Roberte qu'il s'était décidé à abréger son séjour au village. Il froissa la lettre, en fit une boule et la lança dans le feu. Roberte justement entrait dans le salon.

« Tu peines, dit-elle.

— Je déteste écrire des lettres.

— « Vingt fois sur le métier... », j'ai oublié la suite.

— J'écris à Louvet.

— Je m'en doute. C'est pourquoi c'est si difficile.

— Qu'est-ce que tu veux dire?

— Je connais la chanson. Tu te donnes un mal fou pour te justifier aux yeux de Louvet... chaque fois que tu as un nouvel amour.

— C'est donc cela!

— Couche avec elle et fous-nous la paix! »

Elle se planta devant lui et leva rythmiquement les bras en l'air, en criant :

« Tu es libre, je suis libre, nous sommes libres, vive la liberté!

— C'est le vent, dit Milan, le vent d'équinoxe. Le grand vent t'énerve toujours.

— L'équinoxe, ton anniversaire, l'équinoxe de tes quarante ans! L'équinoxe, ta maladie chronique, ta période d'angoisse, le temps où tu as envie de changer de femme! »

Une rafale fit résonner les peupliers dans la prairie, au bas de la terrasse.

« La tempête ne cesse de croître, dit Milan. Toutes les poires vont tomber.

— Elles sont véreuses!

— Pas les duchesses. »

Il y avait dans un coin du jardin un poirier duchesse chargé de fruits lourds dont Milan supputait la maturité depuis le début de la saison.

Ils sortirent ensemble. Trois poires étaient déjà tombées et gonflaient l'herbe comme des hanches pleines. Milan les prit l'une après l'autre, tâta du pouce le mamelon quadruplement valonné où s'attache la queue et le trouva dur; il huma le parfum et l'estima sans consistance; il mordit dans la chair.

« Ah! s'écria-t-il, c'est une honte, encore huit jours et elles étaient mûres. »

Elle le prit tendrement par le bras et le ramena vers la maison. Ses désespoirs la désarmaient pourvu qu'ils fussent enfantins.

Il rentra et écrivit enfin la lettre à Louvet. Il n'y donna pas d'explication à son changement de décision, mais parla de la tempête et des fruits abîmés. Roberte s'agitait dans la pièce; elle venait de décider de mettre le piano à la place de la table et le divan d'angle sous la fenêtre médiane. Elle appela Auguste pour qu'il l'aidât à déplacer les meubles et la Bourret pour qu'elle balayât la poussière accumulée sous le divan. A trois heures et demie, Milan ferma l'enveloppe et se leva.

« Je vais, dit-il, mettre la lettre à la poste.

— C'est merveilleux. Tu seras au village juste pour la fermeture de la mairie. »

Auguste et la Bourret s'immobilisèrent et tendirent l'oreille.

« Je prends le fusil, dit Milan. Je vais passer par les terres, je lèverai peut-être un lapin.

— Dis à Hélène de venir me voir. »

Il était tout près de Roberte.

« Imbécile! » gronda-t-il sourdement.

Il alla chercher le fusil, le chargea et sortit par la porte du pré sans repasser par le salon.

Le vent le poussa tout le temps qu'il alla vers le village et il y fut rapidement. Il mit la lettre à la poste et continua aussitôt, dans le sens du vent, en direction de la Prairie. Le fond du ciel était gris comme quand il va neiger et, beaucoup plus bas, la tempête poussait très vite des nuages noirs à reflets violets, compacts et globuleux. La rivière avait monté depuis la semaine précédente et une partie des prés était inondée. Une foule de corbeaux tournaient très bas, au-dessus d'une flaque d'eau qui s'étalait dans le coude d'un bief. Milan soudain s'ennuya : « Qu'ai-je à faire avec cette prairie, maintenant que je sais que je ne la verrai pas blanchir en janvier ni reverdir au printemps? » Il marcha à grands pas, passa la rivière au moulin et s'enfonça dans les collines qui dominent l'autre rive. Il garda son fusil en bandoulière.

*

Hélène cependant avait terminé son travail. Elle rentra à l'école, passa dans sa chambre, s'étendit sur le lit et ouvrit le traité d'économie politique de Baby; elle lut deux pages et s'aperçut qu'elle n'avait pas fait attention à ce qu'elle avait lu. Elle prit une feuille de papier et un crayon, s'amusa à reconstituer le tapis de la roulette, puis calcula combien elle gagnerait en touchant un numéro plein, une fois sur deux, pendant dix coups. « Et si le même numéro sortait six fois de suite? C'est possible et impossible. Chaque nouveau coup recommence le monde, m'a dit Milan. Il y a, au sixième coup exactement, autant de chances de gagner qu'au premier, mais il n'est jamais arrivé que le même numéro sortît plus de sept fois de suite; c'est ce qu'il appelle la dialectique du jeu; cela aussi devrait pouvoir se calculer. Milan m'a dit que c'était la même chose de gagner au jeu et d'être heureux. » Elle déchira le papier, se leva, noua son foulard bleu autour de sa tête et prit le chemin de la maison des Milan.

Dans la cour, elle rencontra la fermière et lui demanda des nouvelles du veau.

« M. Milan est à la chasse, dit Radiguette.

— Je viens voir Mme Milan », dit Hélène.

La Bourret était en train d'étendre le linge dans

le jardin. Le drap qu'elle portait fut enlevé par le vent avant qu'elle eût eu le temps de le fixer, il battit comme un drapeau, puis s'enroula autour d'elle; elle se débattit, les pinces tombèrent dans l'herbe, elle jura.

« Laissez-moi vous aider », dit Hélène.

Elles cherchèrent ensemble les pinces éparpillées dans l'herbe.

« Milan est à la chasse, dit la Bourret.

— Je viens voir Roberte, dit Hélène.

— Te voilà, s'écria Roberte, ne trouves-tu pas que le piano est mieux dans le coin et le divan sous la fenêtre? Milan y verra mieux, il aime lire étendu; il était furieux tout à l'heure parce que le vent a fait tomber trois de ses duchesses.

— On les cueille plus tôt, dit Hélène, et on les laisse mûrir au grenier.

— Viens là que je t'arrange », dit Roberte.

Elle dénoua le foulard d'Hélène et le replaça en arrière, laissant à découvert un plus large croissant de cheveux, puis elle l'ôta complètement :

« On n'a pas le droit de se fagoter comme cela.

— Ça n'a pas d'importance, dit Hélène.

— Laisse-moi faire. »

Elle défit les cheveux blonds qu'Hélène portait très en arrière et noués dans le cou par un ruban, comme une gerbe étranglée en son milieu par le lien de paille.

« On croirait une queue de cheval! »

Elle fit mousser les cheveux déliés qui encadrèrent les joues avivées par le vent et tombèrent jusque sur les épaules. Elle poussa Hélène vers la glace.

« Regarde maintenant comme tu es belle!

— Je ne peux pas faire la classe comme cela.

— Tu ne feras pas la classe toute ta vie.

— Je continuerai à travailler, dit Hélène, même quand je serai mariée. »

Elle s'ébroua en se regardant dans la glace, les cheveux frémirent; elle pensa à une reproduction du *Printemps* de Botticelli qu'elle avait vue dans la chambre d'une de ses camarades de l'Ecole normale.

« Aide-moi, dit Roberte. On va pousser le bureau de Milan devant la cheminée, il verra le feu en travaillant. »

Elles remuèrent les meubles pendant un moment. Puis elles montèrent au premier chercher un vase qui était dans la chambre de Roberte. Hélène s'assit sur le tabouret de la coiffeuse et souleva l'un après l'autre, pour les identifier, les objets éparpillés devant elle : la pince à épiler, la pince à ongles, la pince et la spatule pour couper et repousser la peau à la base de l'ongle, les brosses : la dure et la moins dure pour les cheveux, la très dure pour les ongles, la minuscule pour le rimmel, les fonds de teint, les crèmes de jour et les crèmes de nuit, les shampooings liquides et les shampooings en poudre dans leurs pochettes multicolores, le vibro-masseur avec le fil électrique entortillé autour du manche, les eaux de Cologne, l'eau de lavande, l'eau de rose, l'alcool à 90 degrés, les poudres de diverses couleurs avec chacune sa houppe, les vernis à ongles, avec chacun son petit pinceau et le décapant qu'elle ouvrit et dont elle respira l'odeur d'amande amère. Elle leva la tête et vit dans la glace ovale Roberte debout derrière elle, les cheveux courts coiffés à plat, la poudre enlevée par le vent et ce qui restait du fond de teint comme deux flammes sur les pommettes, des craquelures de couperose à la base du nez.

Roberte passa ses doigts dans les cheveux blonds et les releva sur les tempes. Hélène se regardait. Roberte releva un peu plus les cheveux et dégagea les oreilles. Hélène secoua la tête.

« A quoi bon? » dit-elle.

Elle voulut se lever. Roberte appuya les mains sur ses épaules et l'obligea à rester assise.

« Ne bouge pas, dit-elle, je vais te coiffer.

— Mais pourquoi? protesta Hélène.

— Parce que cela m'amuse, dit Roberte. Qu'est-ce que cela peut bien te faire? Si ta nouvelle coiffure ne te plaît pas, tu pourras toujours renouer ta queue de cheval. Ça ne doit pas te prendre beaucoup de temps. »

Elle commença par peigner les cheveux épars. Le peigne les faisait crépiter. Ou bien elle faisait claquer les doigts dans les mèches pour qu'ils crépitent davantage.

« Comme ils sont soyeux », dit-elle.

Puis elle releva les mèches en torsades qu'elle groupa en une sorte de chignon aérien qui laissait découvertes les oreilles et la nuque. Mais le front était nu. Elle prit les ciseaux et effila une frange légère et asymétrique. Puis elle défit le chignon et le refit encore plus aérien. Cependant elle parlait :

« Milan est nerveux, dit-elle, il est toujours anxieux à l'approche des équinoxes.

— Le grand vent énerve tout le monde...

— C'est aussi de ne pas faire l'amour », dit Roberte.

Leurs yeux se rencontrèrent dans la glace. Hélène ne cilla pas.

« Quand on vit depuis trop longtemps ensemble, continua Roberte, on n'a plus envie de faire l'amour.

— J'y ai pensé », dit Hélène...

Ses paupières battirent et le pur profil s'inclina sur le cou.

« Je veux dire, reprit-elle précipitamment, Duval et moi nous y avons pensé. Nous voudrions éviter cela. Il faut se méfier de l'habitude, n'est-ce pas? Peut-être est-il mieux de faire chambre à part et de ne dormir ensemble que les soirs où l'on se désire?

— Il n'a jamais été fidèle, dit Roberte, pas même au début de notre amour...

— De ce grand amour...

— ... il ne s'en cachait même pas. Une nuit que nous nous étions pris plusieurs fois, il me dit : « Je t'aime comme je n'ai encore jamais aimé et « tu me donnes un plaisir tel que je n'en ai jamais « éprouvé. Maintenant me voilà las et inerte à « cause de tout ce plaisir et incapable pour l'heure « de te désirer de nouveau. Et pourtant je sais que « s'il entrait à l'instant dans cette chambre une « fille inconnue, n'importe laquelle, pourvu seu- « lement qu'elle soit en âge d'être aimée et que « je ne l'aie encore jamais possédée, je retrouverais « des forces pour la prendre. »

— Pourquoi voulait-il vous faire de la peine?

— Il ne voulait même pas me faire de la peine. C'est son fameux goût de la vérité. Ça ne l'empêche d'ailleurs pas de mentir, tous les hommes mentent. »

Roberte ajouta une nouvelle torsade au chignon et, sous l'envolée baroque de la coiffure, le profil de la jeune fille parut encore plus régulier.

« Je crois, dit-elle encore, que ce qu'il préfère, ce sont les prostituées. »

Elle prit le visage d'Hélène par le menton et le plaça de trois quarts, puis de profil, puis de nouveau de face. Elle avait allumé au bas et en haut de la glace les deux ampoules couleur de jour.

« Regarde, dit-elle, regarde... »

Elle saisit la pince à épiler.

« Maintenant je vais t'arranger les sourcils. Tu vas voir comme tes yeux vont paraître grands.

— Non, dit Hélène, non, je ne veux pas.

— Ah! laisse-moi faire, je veux que tu sois belle. »

Elle commença d'arracher les sourcils. Elle était adroite, plaçait bien la pince, l'enlevait d'un coup sec et Hélène ne sentait chaque fois que comme une petite piqûre; elle ferma les yeux.

« Et vous? demanda-t-elle.

— Moi?

— Est-ce que vous le trompez?

— Il faut bien faire l'amour.

— Mais, les premières années, est-ce que vous le trompiez déjà?

— Non, répondit Roberte, oui; derrière une porte ou sur une banquette de chemin de fer, ces choses-là ne comptent pas. Mais je ne l'ai jamais rendu ridicule.

— Le savait-il?

— Non. Oui. J'imagine qu'il s'en doutait, mais je n'ai jamais voulu l'admettre.

— Vous mentiez même dans ce temps-là?

— Mon petit, il ne faut jamais avouer à un homme qu'on l'a trompé. Accepterait-il ton infidélité, l'encouragerait-il, il arrivera que dix ans plus tard il se servira de ton aveu comme d'une arme contre toi. Nie même l'évidence. C'est la seule chose raisonnable que m'ait apprise mon abominable mère. »

Hélène rouvrit les yeux et fixa son regard clair sur le reflet de Roberte.

« Ah! s'écria Roberte, si jamais tu lui répètes ce que je te dis là, je t'abîmerai pour la vie ta jolie petite gueule! »

Hélène continuait de fixer gravement l'image de la femme de Milan et les doigts prolongés d'une pince au-dessus de son œil.

« Tu perdrais d'ailleurs ton temps, continua Roberte, c'est toujours moi qu'il finit par croire.

— Mais pourquoi, demanda Hélène, le trompiez-vous déjà dans ce temps-là?

— Je n'en savais rien, mais il me l'a un jour expliqué, — à propos de lui-même. C'est *l'occasion.* Deux êtres qui ne se plaisent pas se prennent si *l'occasion* fait qu'ils se trouvent ensemble et sans témoin, dans un instant où l'un ou l'autre ont besoin d'amour. Et deux amants qui s'aiment d'amour fou, par *l'occasion* d'un couloir mal placé, resteront des mois sans échanger même un baiser. *L'occasion* fait et défait la plupart des liaisons.

— Je hais ce mot.

— Milan dit que la gratuité du choix en matière d'amour l'excite aussi vivement à aimer que l'idée de la mort l'excite à vivre. Maintenant, ne bouge plus... »

L'épilation des sourcils était terminée. Roberte saisit le crayon bleu noir et de deux traits précis dessina les nouveaux arcs, plus ouverts et plus effilés, comme les ailes du goéland dans le moment qu'il plane. Puis elle s'éloigna pour se verser trois dés qu'elle but d'un coup sec. Elle saisit dans la glace le regard d'Hélène qui l'observait.

« Plus que jamais, s'écria-t-elle en riant, tu as le regard impitoyable de la conscience. »

Elle but encore deux dés.

« La vie, dit-elle, est une bête affamée qui loge au creux de la poitrine. Elle est plus ou moins gloutonne selon les natures; les chétifs ont un loir qui dort la moitié de l'année, les vaillants ont un lion; moi, ma bête est très vorace. Tant qu'elle n'est pas repue, elle griffe, elle mord, elle me déchire et me voilà jetée dans les rues et sur les routes, les narines ouvertes, le cœur battant et le ventre brûlant. Mais ma bête n'est pas difficile sur le goût; la roulette, une bagarre, un amant, des meubles à remuer, une ration quotidienne de marc, tout lui est bon pourvu que son estomac soit si plein qu'elle ne puisse plus que dormir. Depuis que je suis au village, — cela fait plus de trois mois —, je n'ai pas eu d'amant, je n'y pense pas; c'est qu'à huit heures du soir, j'ai bu au moins vingt dés de marc; mais, hier soir, au casino, je ne pensais pas à boire, je jouais; et il y a encore bien d'autres moyens d'endormir la bête, mais, par bonheur pour toi, de ceux-là tu n'as même pas entendu parler.

— Je pense, dit Hélène, qu'il y a des bêtes plus ou moins délicates.

— Oui, petite chérie.

— Vous pourriez faire un travail que vous aimeriez ou combattre pour une cause qui vous paraîtrait valable.

— J'aurais pu découvrir le radium comme Mme Curie. Mais je n'ai été bonne qu'à aimer Milan et à me faire aimer de lui. J'y ai consacré quinze ans de ma vie. J'aurai bientôt quarante ans. Et il ne pense qu'à trouver un prétexte pour s'en aller.

— Milan vous aime, dit Hélène. Comme il vous aime! Si vous aviez entendu comme il parlait de vous hier soir à Aix.

— Oui, il lui arrive encore d'être ému. Quand *l'occasion* ressuscite un vieux souvenir.

— Je ne veux pas que vous soyez malheureuse », dit Hélène.

Elle passa le bras autour des épaules de Roberte et appuya gentiment le front sur sa joue.

Roberte lui prit le visage entre les mains.

« Môme », dit-elle.

Et d'un baiser rapide elle lui effleura les lèvres.

« Assieds-toi, il faut maintenant que je te maquille. »

Elle commença de lui brosser les cils avec la

brosse à rimmel et Hélène fut très attentive parce que c'était la première fois qu'il arrivait à ses yeux d'être *faits*.

*

MILAN était sur le chemin du retour. Il faisait front au vent et des rafales de pluie glacée lui giflaient le visage. Chaque pas dans la tempête lui coûtait un effort et occupait toute son attention; il ne pouvait plus, au bas d'une côte, penser qu'au sommet, à un coude du chemin qu'au prochain coude, ou encore calculer combien de côtes et de coudes le séparaient encore de la maison.

Arrivé à quelques centaines de mètres de chez lui, il rencontra une grange isolée. Il secoua la porte qui d'ordinaire n'était pas fermée à clef, mais il ne put parvenir à l'ouvrir. Il se mit à l'abri du mur de pignon pour allumer une cigarette, puis il s'assit sur les jarrets pour la fumer en paix. Il n'y avait plus une seule bête dans les pâtures et pas un être humain ni la moindre maison dans son horizon. Il pensa qu'ainsi accroupi au pied d'une construction de pisé, il était l'être le plus seul dans le monde. Il pensa aussi que c'était bien sa faute.

Un vol de corbeaux passa lentement au-dessus de lui. Depuis le début de sa marche, il n'avait eu dans l'oreille que la clameur du vent et le croassement des corbeaux, jamais il n'avait tant vu de corbeaux que cet automne-là. Il avait posé son fusil contre le mur pour allumer sa cigarette; l'arme était à portée de sa main; de tout l'après-midi il n'avait pas eu l'occasion de brûler une cartouche; il tira au jugé; un corbeau longtemps encore soutenu par le vent, s'abattit lentement en bordure d'une vigne.

Il n'était que blessé et quand Milan s'approcha, il se redressa, ouvrit le bec, souffla bruyamment et s'enfuit en sautillant dans la vigne, un plant de Noa aux rameaux liés à des fils de fer tendus horizontalement à hauteur de poitrine, de deux mètres en deux mètres. Milan enjamba le premier fil; le corbeau était là, il souffla encore, puis, au moment où il allait être rejoint, passa sous deux nouveaux rangs de vigne. Milan les enjamba, il traînait son fusil après soi par le canon, il le balança comme une massue pour assommer l'oiseau avec la crosse, mais il n'atteignit que son aile au moment où il disparaissait sous le rang suivant. L'un derrière l'autre, ils traversèrent ainsi tout le plant qui était fait de vingt-trois rangées parallèles; Milan s'essouffla, devint rouge et son front se couvrit de sueur; il lança encore deux coups de crosse, mais ils s'amortirent dans les plumes; le corbeau appartenait à la variété la plus grande et la plus sombre. D'autres coups s'enfoncèrent dans la terre humide, Milan était furieux d'abîmer son fusil, mais il ne se possédait plus.

Après la vigne venait un chaume. L'oiseau y reposait replié sur lui-même. Mais quand Milan arriva sur lui, il fit front, se dressa sur ses grandes ailes blessées, ses yeux étaient injectés de sang, ceux de Milan aussi, ils se trouvèrent face à face. Milan balança son fusil de toutes ses forces et lui fracassa le crâne. Il s'abattit, eut encore un sursaut, puis s'affaissa doucement dans un creux du chaume, comme un grand morceau de velours noir plié en deux. Milan se laissa tomber à côté de lui.

Quand il eut retrouvé le souffle et la paix, il se leva, prit le corbeau par les pattes et le tira derrière lui. Les grandes ailes noires balayaient le sol et la tête ouverte rebondissait de pierre en pierre en laissant des gouttes de sang.

*

ROBERTE achevait de peindre les lèvres d'Hélène. Elle avait trouvé un rouge mauve et lui épaississait la lèvre inférieure, à la Joan Crawford. Elle racontait en même temps l'histoire d'une de ses rivales.

« Mais pourquoi, demanda Hélène, vous êtes-vous finalement fâchée avec cette Juliette?

— Une nuit que nous donnions une fête à la maison, — il y avait beaucoup d'amis et nous avions beaucoup bu, — Milan l'emmena dans sa voiture et ne rentra que le lendemain à midi.

J'allai à la recherche de Juliette, je la trouvai en nombreuse compagnie, je la giflai devant tout le monde.

— Mais pourquoi reprocher à celle-ci ce que, m'avez-vous dit, vous aviez toléré de tant d'autres?

— Ah! s'écria violemment Roberte, je l'observais depuis plusieurs jours. Elle rougissait chaque fois qu'il entrait, bégayait chaque fois qu'il la regardait, elle n'oubliait rien pour le persuader qu'elle l'aimait d'amour. C'était une intrigante.

— Peut-être l'aimait-elle réellement?

— Que m'importe! Je ne peux pas empêcher qu'il fréquente des filles et je ne m'en soucie guère. Mais je ne tolérerai pas qu'on me prenne mon mari... Comment te trouves-tu maintenant? »

Le maquillage était achevé. Hélène se regardait dans la glace avec le même étonnement qu'une chanteuse qui entend pour la première fois sa voix reproduite sur un disque et qui ne la reconnaît pas.

« Je me fais un peu peur », dit-elle.

Puis, après un moment :

« Qu'a fait Milan quand il a su que vous aviez giflé Juliette?

— Il a crié, je ne pouvais pas l'empêcher de crier, il fallait bien lui laisser sauver la face.

— Qu'est devenue Juliette?

— Une putain, j'imagine, elle était douée pour cela.

— Et si elle l'a vraiment aimé?

— On n'aime pas le mari d'une autre femme.

— Milan l'a-t-il revue?

— Je ne crois pas. Mais je ne serais pas surprise qu'il m'en veuille encore. »

Roberte avait ouvert la grande armoire de noyer et fouillait parmi les étoffes légères ou lourdes pendues sur les cintres.

« Et maintenant, dit-elle, je veux te voir en robe de soirée.

— Oh! oui », dit Hélène.

Elles cherchèrent ensemble. Hélène aurait voulu essayer une robe vert émeraude à manches longues, haut fermée par une collerette rigide tissée de fils d'or; elle eût ainsi ressemblé à la belle suivante d'Isabeau de Bavière, dans la fameuse miniature qui représente la reine et son cortège accueillis aux portes de Paris par le roi de France.

« Ce n'est pas possible, dit Roberte, c'est une robe trop ajustée, tu es plus grande et plus forte que moi, tu la ferais éclater. »

Elle la persuada d'essayer une robe noire, fort décolletée, longue et fendue sur le côté.

« Il faut montrer tes épaules. »

La robe, en effet, n'avait pas d'épaules. Ici trop large, là trop étroite et seulement maintenue sur la poitrine par un système de baleines, elle découvrait, à chaque mouvement de la jeune fille, tantôt un sein, tantôt l'autre. Hélène riait puis rougissait.

« Comme tu as de beaux seins, dit Roberte. Milan dirait qu'ils sont glorieux. »

Hélène alla s'asseoir dans le fauteuil, dans le coin opposé à la coiffeuse. Elle n'osait plus bouger.

« Comme tu es gauche, dit Roberte. Tu es adorable. »

Puis elles entendirent le pas de Milan qui montait lourdement l'escalier. Hélène chercha des yeux quelque chose pour se couvrir la gorge, elle ne vit rien à portée de la main, elle osait moins que jamais bouger, elle mit les mains à plat sur le décolleté pour le maintenir.

Milan entra dans la chambre en traînant le grand oiseau noir. Il le poussa devant Roberte.

« Tiens, cria-t-il, voilà tout ce que j'ai tué... »

Il le frappa du pied.

« ... c'est une sale bête, il ressemble aux oiseaux que je vois dans mes cauchemars... »

La bouteille de marc était sur la table de chevet. Il remplit à moitié le grand verre, sans mesurer avec les dés, et l'avala d'un trait. Il était rouge à cause du vent, il avait les cheveux en désordre et l'air furieux.

« ... une horrible bête, continua-t-il. Tout mort qu'il est, il vient encore de faire peur au chien de Radiguet, qui a tourné autour de nous en aboyant, mais sans oser venir le flairer. »

Il se courba pour poser le fusil dans l'angle de la cheminée, se redressa, aperçut Hélène.

« Bonsoir », dit-elle en rougissant jusqu'à la naissance de la gorge.

Il contourna le lit pour aller jusqu'à elle et la regarda silencieusement. Elle esquissa un sourire et ne put l'achever. « Le regard froid, pensa-t-elle, il a le regard froid, voilà ce qui signifie « regard froid. »

« Je lui ai appris à se faire belle », dit Roberte.

Il se tourna vers elle.

« Tu ne m'as même pas dit bonsoir », continua-t-elle.

Elle jeta les bras autour de ses épaules, l'embrassa et lui murmura rapidement dans l'oreille :

« Pourquoi n'es-tu pas content? Je croyais que tu adorais le genre entraîneuse de boîte de nuit. »

Il se dégagea et sortit en claquant la porte. Roberte la rouvrit aussitôt.

« Emporte ton sale oiseau », cria-t-elle.

Il était déjà au bas de l'escalier.

« Je te laisse les plumes pour habiller la gosse », cria-t-il.

Elles entendirent les pas s'éloigner sur le perron.

« Qu'est-ce qu'il a? demanda Hélène.

— C'est le vent. Et de n'avoir pas rencontré de gibier. Il a un sale caractère.

— Il faut que je m'en aille.

— Reste dîner avec nous, dit Roberte.

— Non, je dois rentrer... j'ai des questionnaires à remplir pour la préfecture. »

Elle se leva, alla s'asseoir devant la coiffeuse et approcha son visage de la glace.

« Comment faire, dit-elle, pour enlever tout cela? »

Lorsqu'elles descendirent, une demi-heure plus tard, elles aperçurent sous l'auvent du perron la lueur de la cigarette de Milan. Il resta muet. Roberte accompagna Hélène en voiture puis s'arrêta à l'auberge pour boire deux Pernod.

*

QUAND Roberte revint, Milan était étendu sur l'un des divans du salon, en train de lire les *Mille et une Nuits*. Le feu était éteint et il s'était enveloppé dans une couverture. Elle prépara rapidement le dîner. Ils mangèrent sans beaucoup parler et seulement sur des sujets qui n'appelaient pas de controverse : sur le veau de Radiguet qui était finalement mort à la fin de l'après-midi, sur la quantité de bois qu'avait coupé Auguste, sur la nécessité de cueillir les duchesses avant que le vent ne les fît toutes tomber.

Ils montèrent dans leur chambre tout de suite après dîner. Milan s'étendit sur le lit et reprit sa lecture; Roberte alluma un feu de bois dans la cheminée, traîna le corbeau sur le perron, nettoya le sang qui de la tête brisée était tombé goutte à goutte sur le parquet, puis elle ne sut plus quoi faire. Il n'était que neuf heures. Elle but encore trois dés, ce qui faisait vingt-sept pour la journée, soit sept de plus que la moyenne habituelle, mais il lui en aurait fallu bien davantage pour être ivre. Elle commença à se déshabiller, examina ses épaules dans la glace de la coiffeuse, et découvrit des *points noirs* qu'elle entreprit d'enlever en pressant la peau entre les ongles des deux index; elle cautérisa avec un tampon d'ouate imbibé d'alcool à 90°; il resta des taches rouges comme des plaques d'urticaire. De temps en temps, Milan levait l'œil pour l'observer, puis il se remettait à lire.

Quand elle en eut fini avec les épaules, Roberte se contorsionna pour examiner son dos et découvrit une nouvelle série de points noirs sur l'omoplate gauche.

« J'ai des *points noirs* dans le dos, dit-elle, viens me les enlever.

— Non, répondit Milan.

— Je ne te demande rien.

— Ecoute, dit-il, comme les Arabes du temps du calife Haroun Al Raschid étaient sages, lorsqu'ils parlaient des plaisirs de l'amour...

— Non, dit-elle, non, tu ne parviendras pas à me mettre en colère. Tu ne vengeras pas sur moi la souillure infligée à ta pure amie. Je ne te ferai pas ce plaisir.

— Imbécile!

— Non, non, je ne répondrai pas. J'ai l'habitude de tes insultes. Je sais ce qu'il en coûte d'être ta femme. Il m'a bien fallu abdiquer tout amour-propre. Pour vivre auprès de toi, il faut apprendre les vertus chrétiennes, l'humilité et la soumission. »

Elle passa sa robe de chambre et sortit. Milan l'entendit chasser les chats de Radiguet qui s'étaient rassemblés sur le cadavre du corbeau. Le chien aboya, elle l'appela, puis l'injuria, la voix séloigna vers le bûcher. Elle revint avec une brassée de bois sec qu'elle jeta sur le feu et une flamme vive et légère illumina la chambre. Elle resta accroupie devant le feu. Milan lisait.

« Ainsi, dit-elle soudain, lorsque tout à l'heure tu es allé mettre ta lettre à la poste, tu en as profité pour demander à Hélène de monter à la maison.

— Je ne suis pas passé par l'école.

— Tu aurais pu monter en même temps qu'elle...

— Je te dis que je ne l'ai pas vue.

— ... plutôt que de faire un détour et tuer un corbeau pour me faire croire qu'elle est venue par hasard.

— Je te répète que c'est ici qu'aujourd'hui j'ai vu Hélène pour la première fois.

— Pourquoi mens-tu?

— Pourquoi mentirais-je? je fais ce qui me plaît.

— Peu m'importe que tu ailles la voir. Passe ta vie chez elle si ça t'amuse. Ce qui me vexe, c'est votre complicité, je ne veux pas qu'elle me prenne pour une imbécile.

— Pourquoi te cacherais-je quelque chose? Tu n'as aucun droit sur moi. Je ne dépends de personne, moi.

— Parce que tu es menteur.

— Tais-toi, Roberte, tais-toi, voilà que monte ma colère. »

Il connaissait bien sa colère. Elle naît dans les jambes, elle joue quelque temps dans les articulations des genoux, puis, d'un seul coup, elle fait l'ascension des cuisses et inonde le bas-ventre; là, le flot ne monte plus que lentement mais il est déjà puissant comme un fleuve en crue qui fait trembler les digues dans leur fondement; quand la colère atteint enfin le soleil de nerfs qui irradie au creux de la poitrine, il est trop tard pour l'enchaîner, elle jaillit comme un fer de lance et crève le cœur, le jet de sang inonde le visage et fait gonfler douloureusement jusqu'aux plus fines veinules des lobes cérébraux; toute conscience s'abolit dans une grande lueur rouge. Il avait compris depuis longtemps pourquoi Don Diègue demande : « Rodrigue, as-tu du cœur? »; l'homme sans cœur est celui qui sous la gifle ne voit pas rouge, l'homme de bonne race a un cœur de lion. Pour l'instant la colère de Milan n'en était encore qu'à agacer ses genoux, il s'efforçait de l'empêcher de grossir.

« Il est tout de même curieux, dit-il posément, qu'une mauvaise épouse puisse, par des réflexions ineptes, mettre un homme davantage hors de soi que ne le font les malheurs de sa patrie ou de ses amis.

— Je me demande, dit Roberte, pourquoi tu es menteur. C'est sans doute ta vilaine nature.

— C'est vrai, dit Milan, je te mens souvent...

— Tu le reconnais!

— ... par pitié, pour que tu ne saches pas ce que je pense de toi.

— Toi, de la pitié! Tu es méchant comme tous les faibles.

— Cela aussi est vrai, dit Milan. J'ai peur de toi. Tu es le seul être au monde dont j'ai peur.

— Tu reconnais que tu n'as pas le courage de me dire la vérité.

— J'ai peur de toi comme j'avais peur de ma mère. Je fais des rêves où le même personnage menaçant qui se dresse en face de moi a tantôt son visage, tantôt le tien. »

« C'est, pensa-t-il, la malhonnêteté de Roberte que d'avoir utilisé les nœuds, les replis, les ombres, les sueurs, les paniques, les hontes, tout ce qui d'une enfance opprimée subsiste de louche en un homme, pour entrer en possession de moi. »

« *Tu me possèdes,* cria-t-il, comme un escroc, comme une sorcière et comme un confesseur! »

Elle était toujours accroupie devant le feu.

« Malade! dit-elle. J'ai fait ma vie avec un malade. »

Il se mit à dessiner, c'était une manière de faire diversion à sa colère qui avait atteint le bas-ventre.

« Elle est, pensa-t-il, impérieuse et tortueuse, éclatante et dangereuse, insatiable comme la reine des abeilles, vorace comme la reine des fourmis; c'est la reine mère, la grande pondeuse; elle traînerait vingt enfants après elle si elle ne s'était pas fait faire tant de fausses couches; c'est Junon, Proserpine et Lucine... »

« Tu sais même accoucher les vaches », s'écria-t-il.

« ... elle m'inspire le même effroi qu'à Faust descendu aux enfers, les MERES... »

« Regarde sous quels traits je te vois... »

Il lui tendit à peine achevé le dessin qui traduisait sa pensée sous les formes d'un monstrueux insecte.

« ... j'ai peur de tes mandibules.

— Ah! dit-elle, toute cette histoire parce que tu ne veux pas avouer que tu es allé demander à Hélène de monter ici « comme par hasard ».

— Tais-toi, dit-il, ah! tais-toi! Je ne suis déjà plus maître de ma colère.

— Tu ferais mieux d'avouer que tu as menti.

— Comme tu seras malheureuse le jour où je ne te mentirai plus! On ne ment qu'à son tyran.

Chacun de mes mensonges est la preuve de ta puissance.

— Tu reconnais donc que tu es allé chez Hélène. »

Il se dressa d'un bond, saisit un cendrier et l'écrasa sur le plancher.

« La grande crise », dit-elle, en se redressant lentement.

D'un bout à l'autre de la chambre ils s'observaient.

« Tu me provoques, dit-il. Me mettre hors de moi, c'est le seul moyen dont tu disposes encore pour m'avoir à toi.

— Avoue donc », cria-t-elle.

Il eut dans le même instant le souvenir d'une honte à laquelle il avait jadis consenti; c'était au début de leur amour, elle cherchait une preuve de son infidélité, elle avait scruté son linge. Il suffoqua et la grande lueur rouge l'aveugla.

Il se retrouva sur elle. D'une main il maintenait sa joue contre le plancher, de l'autre il retenait son bras qui essayait de le frapper à la tête avec le tisonnier.

« Je te déteste, haletait-il, ah! comme je te hais bien. »

Il faisait effort pour écraser son visage contre le plancher, mais elle se contractait, tentait de lui mordre le poignet. A un moment leurs forces se trouvèrent égales et ils furent contraints à l'immobilité; les yeux dans les yeux, ils se regardaient furieusement.

« Je te tuerai, grondait-elle, un jour je te tuerai...

— Je souhaite ta mort, dit-il, puisses-tu vite mourir. »

Mais comme un jet décroît peu à peu et l'eau devient étale sur toute la surface du bassin, la colère de Milan se dénoua et le rythme du sang redevint régulier. Il suffoquait encore (il est vrai qu'on suffoque de rage) mais il ne pensa plus qu'à rompre le combat au moindre mal. Il laissa mollir le bras gauche; Roberte crut à une faiblesse et se ramassa pour frapper, mais vivement il lui tordit le poignet, s'empara du tisonnier, le lança à l'autre bout de la chambre et, profitant du désarroi de l'adversaire désarmé, se dégagea et sortit.

Il marcha dans la nuit et peu à peu son souffle redevint égal. Il sentit comme une toile d'araignée qu'on lui eût ôté du visage. Ou comme s'il eût été un ciel dont un vent léger chasse les nuages et le soleil brille soudain dans l'azur. Il marcha encore. Le chien de Radiguet le suivait; il le siffla, le chien vint jouer autour de lui; il s'arrêta pour le caresser. Il lui restait une contraction et une lourdeur au creux de la poitrine, mais déjà, des répliques échangées, il ne se rappelait plus que des fragments; ainsi, au réveil d'un cauchemar, la trame du rêve s'efface-t-elle vite, il ne subsiste qu'une impression de malaise dont on se demande la cause.

Milan revint au bout d'une heure. Roberte était couchée et en train de lire. Il se coucha silencieusement et se mit également à lire. Ils avaient tous deux les traits défaits et les yeux cernés comme après l'amour. Vers une heure du matin, Roberte éteignit sa lampe de chevet.

Elle se rapprocha et l'embrassa.

« Bonne nuit », dit-elle.

Il lui rendit son baiser.

« Bonne nuit », dit-il.

CHAPITRE VII

Le lendemain, vendredi 19 septembre, le vent s'apaisa au début de la matinée, passa au sud et le ciel devint bleu pâle avec des bancs de petits nuages pommelés qui s'effilochaient comme des vapeurs. Milan décida de laisser les poires duchesses encore quelques jours sur l'arbre. Roberte ni lui ne firent allusion aux débats de la veille. La journée fut calme.

Le samedi, Roberte rencontra Hélène à la mairie et lui rappela qu'elle avait promis de venir avec son fiancé le lendemain après-midi. Roberte prépara une crème au chocolat; les deux jeunes gens arrivèrent vers cinq heures et ne restèrent qu'une demi-heure pendant laquelle Milan ne cessa de parler avec Duval du barrage de Génissiat, Hélène avec Roberte de l'épidémie d'oreillons qui venait d'atteindre à son tour la petite Suzanne Bourret.

Hélène, ce dimanche-là, n'avait pas fermé la porte de sa chambre pendant le déjeuner et Duval avait manifesté sa satisfaction qu'elle en fût revenue à respecter les usages. Mme Maréchal avait d'ailleurs bavardé et le village commençait à lui tenir rigueur tant de son manque de retenue avec son fiancé que de sa fréquentation des Milan; elle s'en était aperçue à ce que les parents d'un de ses élèves venaient de lui refuser le beurre qu'ils lui réservaient chaque semaine.

« Ne t'avais-je pas avertie? avait dit Duval.

— Je me moque de ce qu'ils pensent.

— Il ne faut pas. Je veux qu'on te respecte.

— Je me moque aussi de ce que tu penses et de ce que tu veux. »

Il s'était renfrogné.

« Pardon, avait-elle dit. Je suis nerveuse en ce moment. C'est l'approche de l'équinoxe. »

Il s'était étonné qu'elle fût devenue aussi sensible au changement des saisons.

En sortant de chez les Milan, il voulut l'entraîner vers le bois où d'ordinaire il la prenait.

« Non, dit-elle, ah! non! »

Il manifesta sa surprise, elle se mit à rire.

« Si tu veux qu'on me respecte, il faut en donner l'exemple. »

Il n'insista pas, mais il se désola en son for intérieur que son Hélène, jusqu'alors si égale, fût soudain devenue lunatique, comme on raconte que sont la plupart des femmes.

Le lundi, le vent souffla encore du sud, il était

tiède et léger, la journée fut ensoleillée. Roberte prit la voiture pour aller renouveler la provision de marc chez une fermière qu'ils connaissaient, de l'autre côté du fleuve. Milan décida de cueillir enfin ses poires et se rendit chez Bourret pour lui emprunter son cueille-fruits.

En sortant de chez Bourret, il rencontra Hélène qui venait prendre des nouvelles de la petite malade. Il portait le cueille-fruits en équilibre sur l'épaule; c'est une longue perche terminée par une pince dont les bords sont protégés par des bourrelets de velours; de la base de la perche, on commande la pince par l'intermédiaire d'un long fil maintenu par des anneaux d'os.

Hélène rit de le voir dans cet équipage. Il laissa glisser la perche et lui montra la pince.

« Elle fait patte de velours », dit-il.

Hélène était fraîche comme la première fois qu'il l'avait vue, quatorze jours plus tôt. Mais l'arcade sourcilière épilée dont elle n'avait masqué la nudité par aucun artifice, la plage nue entre paupière et front, arrondissait l'œil et, selon que la lumière tombait, elle paraissait effarouchée comme l'oiseau de nuit surpris par le soleil.

« Attention, dit-elle, ce n'est pas la pince qui blessera le fruit; l'essentiel est d'avoir la main douce pour le détacher de la branche; sinon, il s'échappe des doigts de velours, tombe, se tape et blettit.

— Je crains bien d'être maladroit. Ce sera la première fois que je me servirai de cet outil; c'est un crustacé apprivoisé, une langouste à patte de chat.

— Ah! dit-elle, ce n'est pas ainsi qu'on parle d'un cueille-fruits. Vous allez sûrement faire tomber vos belles poires.

— Venez m'aider à les cueillir. Je vous en prie. »

Elle accepta.

En arrivant dans le jardin, il la mena tout droit vers le poirier. Mais Hélène se dirigea vers la maison :

« Je veux d'abord dire bonsoir à Roberte.

— Elle est allée acheter du marc, elle ne rentrera qu'à la nuit.

— Il fallait me le dire.

— Pourquoi? »

Elle fut confuse.

« Passe-moi l'outil, dit-elle. Je vais vous montrer comme on s'en sert. »

Elle cueillit les poires l'une après l'autre. Elle plaçait exactement la pince maintenue ouverte par la tension du fil, elle la laissait doucement se refermer sur le fruit, une secousse légère le détachait, puis elle faisait lentement s'incliner la perche vers Milan qui recueillait la duchesse entre ses mains et la déposait sur la couche de paille qu'ils avaient étendue sur l'herbe.

Il la regardait faire. Elle haussait les bras pour

placer la perche, la gorge saillait sous la robe de toile imprimée. Elle se dressait sur la pointe des pieds, la beauté de la jambe en était mise en évidence. Elle lui souriait chaque fois qu'elle lui tendait le fruit au bout du long bâton. Elle était adroite et ne fit tomber aucune duchesse.

« Maintenant, dit-il, il faut les goûter.

— Ce serait dommage, elles ne sont pas encore tout à fait mûres, il faut les laisser deux ou trois semaines au grenier.

— Peut-être l'une d'elles est-elle à point. »

Ils se mirent à genoux, côte à côte, devant la litière de paille et tâtèrent et humèrent les poires l'une après l'autre pour découvrir la plus mûre.

« C'est celle-ci, disait-elle.

— Non, c'est celle-là. »

Ils se passaient les fruits en prenant bien soin de ne pas les meurtrir, ils se souriaient, ils se contredisaient, ils riaient; la joue d'Hélène frôla la joue de Milan, elle s'écarta bien vite. Quand ils eurent trouvé la plus à point :

« Mordez », dit-il.

Elle mordit à pleine bouche. Elle avait les dents blanches comme la chair de la poire, les incisives petites et régulièrement rangées, les canines bien pointues.

« A votre tour », dit-elle.

Il inscrivit ses dents à côté de l'empreinte des siennes.

« A vous », dit-il.

Et ainsi de suite jusqu'à ce que tout le fruit fût mangé.

Ils montèrent ensuite les duchesses au grenier et les rangèrent sur l'étagère à fruits. Il fallut faire plusieurs voyages; Hélène gravissait légèrement les escaliers et son rire remplissait toute la maison. Ils se retrouvèrent dans le salon où elle s'allongea sur un divan; il s'assit dans un fauteuil et demanda à brûle-pourpoint (c'était dans sa manière) :

« Qu'aimeriez-vous faire dans la vie? »

Elle répondit avec tout le sérieux que les jeunes filles commençaient alors à manifester pour ce genre de problèmes. Elle parla de sa « qualification », qu'elle estimait insuffisante; elle eût voulu, par exemple, ne s'occuper que des enfants de cinq à sept ans ou bien, pour les plus grands, se consacrer exclusivement à l'enseignement de l'histoire (elle avait toutes sortes d'idées personnelles sur la question), ou encore, et c'était ce qu'elle eût préféré, entrer dans l'un de ces laboratoires où l'on prépare des tests pour l'orientation professionnelle.

« L'institut de psychologie expérimentale créé à Paris depuis la Libération est, en la matière, l'un des plus compétents du monde. C'est là que j'aimerais travailler. »

Elle rêva tout haut la vie qu'elle aurait alors. Elle avait connu, du temps qu'elle était à l'Ecole normale, une femme attachée en province à un organisme du même genre. Elle la décrivit : habillée sobrement mais élégante pourtant, car son traitement était convenable, maquillée mais sans excès, allant à tous les concerts et au théâtre quand passait une tournée, habitant une grande chambre avec au mur des reproductions de Manet et de van Gogh, et beaucoup de livres dans la bibliothèque, des ouvrages techniques et aussi des romans et des recueils de poèmes.

« ... peu d'amis mais bien choisis et ayant les mêmes goûts qu'elle. Quoi de plus merveilleux enfin que de se consacrer à un travail qu'on aime? »

Tout cela enchanta Milan au-delà de toute expression. Il l'encouragea dans son ambition.

« Mais il faudrait, dit-elle, avoir le temps de préparer des examens. Les Maréchal ne m'en laissent guère le loisir, ils se reposent sur moi de tout le soin des petites classes...

« ... J'ai accepté le secrétariat de la mairie afin de pouvoir faire des économies. Je ne suis pas partie en vacances pour ne rien dépenser pendant l'été. Ainsi aurai-je dans deux ou trois ans assez d'argent pour passer un an à étudier à Paris.

— Et votre fiancé? » demanda Milan.

Elle ne voulut pas comprendre la question.

« Peut-être préférerait-il une femme qui s'occupe exclusivement de son intérieur et de l'éducation de ses propres enfants. Il aura dans quelques années un salaire suffisant pour que vous puissiez rester au foyer...

— Avoir une petite bonne, papoter avec les épouses de ses collègues et mourir à la fin. Ah! non, s'écria-t-elle.

— Son travail ne lui permettra pas de vous accompagner à Paris.

— Il m'attendra... »

« ... Duval, continua-t-elle bravement, accepte volontiers que j'aie dans ma spécialité les mêmes ambitions que lui dans la sienne.

— C'est bien, dit Milan.

— Vous auriez empêché Roberte de travailler?

— Sans doute. J'étais tellement jaloux, au début de notre amour, je n'aurais pas admis qu'elle fût toute la journée en compagnie d'autres hommes.

— Je ne vous imagine pas jaloux.

— J'avais tort, mais c'est une autre histoire. Au fait, Roberte ne désirait pas travailler, elle a toujours estimé que me conserver à elle suffisait à l'occuper tout entière.

— Moi, dit tristement Hélène, moi, je crois bien que je n'aurai jamais le temps de vivre un grand amour. »

Milan ne répondit pas.

« Aimiez-vous Juliette? demanda-t-elle soudain.

— Cette histoire aussi vous a donc été racontée par Roberte!

— L'aimiez-vous d'amour? insista Hélène.

— Je crois que oui.

— L'avez-vous revue après... l'incident avec Roberte?

— Non.

— Elle a dû souffrir.

— La lâcheté est l'un des aspects de la vie conjugale.

— Pourquoi vous êtes-vous marié? Il me semble que le mariage est sans rapport avec la passion.

— Roberte était sans ressources. Ne pas légitimer notre union était lui laisser croire que je me ménageais pour un mariage bourgeois. Je ne voulais pas non plus paraître lui tenir rigueur de cette liberté dans l'amour — dont je la félicitais au contraire — qu'elle avait conservée jusqu'à notre rencontre...

— Je crois, je pense, je suppose que c'était elle qui aurait dû refuser de se marier. Le mariage n'était pas dans sa ligne de vie.

— Elle n'a pas de métier, dit Milan, et l'amour de la sécurité vient avec l'âge.

— L'un et l'autre, s'écria Hélène, vous dites souvent des choses monstrueuses. »

On entendit la voix de Radiguet qui menait les vaches dans la pâture, au bas de la terrasse. Le soleil baissait et son globe apparut dans les carreaux supérieurs des fenêtres occidentales du salon.

Hélène se leva, Milan l'accompagna jusqu'à la porte du jardin, elle s'attarda un instant sur le seuil.

« Bonsoir, dit-elle.

— Au revoir », dit-il.

Il retint un instant sa main.

« Je vous aime », dit-elle.

Elle dégagea sa main et s'enfuit.

CHAPITRE VIII

Ce même soir, Roberte rentra ivre et monta aussitôt dans sa chambre. Milan resta dans le salon et écrivit une lettre à Hélène.

« ... aussi bien nos yeux avaient-ils parlé, bien avant cet aveu qui vous a échappé.

« En toute occasion, je n'hésiterais pas à user des droits que me donne votre trouble, voire à utiliser les roueries qu'on connaît à mon âge pour forcer vos défenses, s'il devait en subsister. Ce ne sont pas vos fiançailles qui provoquent mes scrupules; je ne me suis jamais soucié des amants ni des maris de mes amies, il m'eût semblé leur faire injure en supposant que quelqu'un avait des droits sur elles; un humain n'appartient qu'à lui-même. Ce n'est pas non plus Roberte, vous en comprendrez tout à l'heure la raison. Mais les circonstances de notre rencontre et les incidents des derniers jours m'obligent à une réserve qui m'est pour le moins inhabituelle. Voici pourquoi :

« Depuis deux semaines vous vivez dans la fréquentation presque continuelle de Roberte et de moi, nous voyant tantôt ensemble, tantôt séparément mais sans que jamais le couple que nous formons soit complètement absent des entretiens que vous avez avec l'un ou avec l'autre. Nous nous sommes faits les historiens complaisants d'un amour auquel ses excès, ses violences, ses délires ont conféré à vos yeux un prestige que nos différends actuels n'ont pas tout à fait réussi à effacer. Vous avez rencontré les victimes d'une passion analogue à celles que décrivent les poètes, « c'est Vénus tout entière à sa proie attachée », et qui s'est déroulée dans le cadre exubérant de l'entre-deux-guerres, parmi les artistes et les gens de plaisir, dans un milieu qui ne peut qu'exciter l'imagination d'une jeune fille dont les études furent jusqu'alors la principale préoccupation. Tant d'objets nouveaux exercent sur vous une certaine fascination. Il est temps de vous dévoiler qu'elle repose sur une supercherie.

« Roberte et moi, depuis de longues années déjà, nous ne nous aimons plus.

« Si nous continuons à mimer les attitudes de la passion, si nous faisons si volontiers et avec tant d'impudeur le récit de nos égarements, c'est pour légitimer les fureurs présentes qui seraient autrement sans excuse. De puissants motifs, que nous nous avouons rarement l'un à l'autre, voire chacun à soi-même, nous incitent d'ailleurs à persister dans la convention d'un amour partagé.

« Quant à Roberte, il s'agit d'abord de conserver un mode de vie qui lui serait interdit si nous nous séparions. Sans doute notre fortune a-t-elle des hauts et des bas et nous serons peut-être obligés de vendre dans six mois la voiture achetée il y a un an. Mais il est déjà considérable d'avoir pour assurés le vivre, le couvert, le vêtement et l'alcool; tel quel, son niveau de vie est cent fois supérieur à celui d'un fellah égyptien, dix fois à celui d'un ouvrier français. Son âge, les marques laissées par nos débordements, la désinvolture à laquelle je l'ai laissée s'habituer, rendent improbable qu'elle puisse désormais réaliser avec un autre ce qu'elle a réussi avec moi. N'oubliez pas enfin que les mœurs de notre temps ne sont pas encore réformées, que la plupart des femmes se font honneur d'avoir leur homme, comme les gentilshommes de faire la preuve de leurs quartiers de noblesse; c'est leur seule gloire et de le perdre la plus grande défaite qu'elles puissent éprouver. Roberte a donc le plus grand intérêt à considérer comme intransgressible l'accord qui nous lia le jour où je l'épousai. Elle ne peut accepter que soit mise en doute la pérennité de notre passion. Amour, tu es pierre et c'est sur cette pierre que j'ai bâti ma vie. Voilà pour Roberte.

« Quant à moi, il m'est difficile de lui faire grief d'une attitude qui lui est dictée par la condition dans laquelle elle est née. Roberte ne mériterait pas d'indulgence dans les pays où la femme est l'égale de l'homme et peut accéder aux mêmes professions, avec les mêmes chances d'y remporter des succès. Mais elle est la fille d'une prostituée, elle a été élevée par un homme qui ne considérait dans ses amies que sa commodité, elle a appris dès l'enfance que l'inégalité de la femme ne peut être compensée que par les artifices et les illusions de l'amour. Comment lui reprocherais-je de se faire un mérite de m'enchaîner? Elle croit que c'est la loi de nature. Ajoutez les liens de l'habitude, la nécessité de légitimer ma lâcheté à l'égard d'une Juliette, l'adresse de Roberte à utiliser les souvenirs troubles qui font que dans mes rêves elle m'apparaît souvent sous les traits de ma mère; lorsque je la trompe, je suis honteux comme un enfant vicieux qui craint d'être pris sur le fait; elle a inscrit son œil à l'intérieur de moi-même, je ne suis jamais seul; n'avez-vous pas deviné que j'ai peur d'elle? Comment sauver la face autrement qu'en proclamant bien haut l'éternité et l'omnipotence de notre amour? Comme le lièvre qui se débat dans le collet, je collabore ainsi à resserrer le lien qui m'enchaîne. Voilà pour moi.

« Sous les apparences d'une passion exemplaire, nous en sommes finalement venus à nous haïr solidement. C'était inévitable, l'esclave ne peut que haïr son maître et chacun de nous est esclave par rapport à l'autre, elle parce qu'elle est dans ma dépendance et moi pour m'être laissé ravir ma souveraineté.

« Les vrais amants ne sont pas des possédés. L'amour est aussi un plaisir, l'amour est d'abord un plaisir. C'est le plaisir de deux êtres qui se caressent et qui se prennent lorsqu'ils se désirent. Tout homme désire n'importe quelle femme pourvu qu'elle ne soit ni vieille, ni contrefaite, ni rude au toucher. Toute femme est consentante au désir de n'importe quel homme pourvu qu'il ne soit ni répugnant, ni incapable de la satisfaire; c'est ce dernier point surtout qui compte; on a dit beaucoup de sottises sur la séduction; la vérité est qu'une femme est déjà à moitié conquise lorsque son soupirant la convoite réellement, je veux dire de la manière la plus manifestement concrète; ce n'est pas tellement fréquent dans les époques veules, les soumis s'imaginent volontiers châtrés, les résignés sont fréquemment impuissants. L'habitude contribue ensuite à nous attacher plus spécialement à celui qui nous a singulièrement comblé ou à nous faire rechercher une ressemblance qui nous rappelle une nuit particulièrement heureuse ou, au contraire, elle nous dégoûte de l'être aimé en nous masquant les attraits qui nous avaient d'abord enflammés; ce sont variations, modalités, différenciations qui ne modifient pas la loi de l'indifférence fondamentale du choix. Tout le reste est métaphysique et, comme toute métaphysique, le lieu de rencontre d'une foule d'intérêts, de prohibitions, de mystifications et de vilenies.

« Une autre sorte de nœuds possède la même authenticité que ceux du désir partagé et crée assurément une entente plus durable et plus féconde. Radiguet et Radiguette m'en fournissent chaque jour l'exemple. Ils ont les mêmes peines et les mêmes joies, les mêmes espoirs et les mêmes désespoirs. Ils se sont divisé les travaux de la ferme à mesure de leurs forces, mais chacun épaule à tour de rôle la défaillance de l'autre et Radiguette mène la charrue quand Radiguet est malade. Ils font rarement l'amour et ils le font maladroitement; c'est surtout le samedi soir quand Radiguet est allé boire avec les copains; il revient émoustillé, il sait qu'il pourra dormir le lendemain matin, c'est la femme qui panse les bêtes le dimanche. Radiguette n'ignore pas que lorsque l'homme va au chef-lieu pour acheter des engrais, il passe un moment avec une servante de bistrot; il allait au bordel quand la crise d'hypocrisie qui souffle sur le monde ne l'avait pas encore fait fermer; elle ne lui en veut pas trop; c'est que ce qu'on appelle l'amour ne tient pas tellement de place dans leur amour. Ce qui les unit ressemble davantage à la camaraderie de deux êtres qui participent aux mêmes combats, ou collaborent depuis longtemps au même travail; c'est le lien humain le plus riche, il implique aussi la tendresse et la mutuelle pitié.

« Pourquoi Roberte et moi sommes-nous si impitoyables l'un pour l'autre? pourquoi ignorons-nous la tendresse? Nous sommes pourtant de vieux compagnons. C'est que notre union est basée sur la peur et sur la supercherie; la camaraderie exige respect réciproque, confiance et franchise.

« Je me demande même si la passion qui nous fit éprouver pendant tant d'années de si vives et si réelles douleurs et qui provoqua la mort du malheureux Octave, a jamais mérité le beau nom d'amour. Elle m'apparaît plutôt aujourd'hui comme l'effet d'une mutuelle mystification dont nous n'eussions pas accepté les illusions si nous avions eu ce courage d'être lucide, cette maîtrise et possession de soi-même qui constitue le seul aspect de la vertu que je sois capable de concevoir et, à l'occasion, de pratiquer.

« Les amoureux, les philatélistes, les joueurs, les ivrognes et le candidat à la tyrannie obéissent à des entraînements qu'on nomme indifféremment passion. « Je veux être ta chose », c'est le cri qui donne la clef de l'amour-passion. Sa naissance même est significative; deux amants jusqu'alors heureux et légers se réveillent pris dans les lacs du sentiment, c'est un jour de fatigue ou le lendemain d'un excès, dans le désordre du système nerveux et vasculaire, c'est la nausée du « matin qui succède à la nuit d'avant »; un prisonnier commence à « cristalliser » autour du visage entrevu par la lucarne de sa cellule, c'est le fruit de l'inaction, de la solitude et de la continence. Latude attendait son araignée avec autant d'impatience que Fabrice l'apparition de Clélia; une idée fixe vaut l'autre.

« Il ne faut pas nous laisser duper par les mots qu'utilisa Stendhal, par réaction aux fadeurs de la Restauration. Ce qui nous fait chérir Julien, Fabrice, Lamiel, Lucien ou la Senseverina, ce n'est pas l'abandon qui soumet à l'amour mais la force de caractère qui permet de l'assouvir, c'est l'appétit de bonheur qui prouve l'homme de cœur et la tête froide qui trouve les moyens de le satisfaire. Les héros de Stendhal ne subissent pas, ils font leur destin. Stendhal est un peintre de la vertu.

« La passion offre au faible l'illusion de la violence, au solitaire elle fait croire qu'il est mêlé à quelque chose, à l'impuissant qu'il agit. A ce titre, elle s'apparente à la religion. L'amour fou est une autre version de l'amour de Dieu. Les poèmes aux yeux de la bien-aimée ont plus d'un rapport avec les cantiques à sainte Thérèse de Lisieux. L'amour-passion s'excuse à la rigueur chez l'esclave dont la rébellion vient d'être châtiée et qui n'a plus d'espoir de modifier son sort; il fleurit au lendemain des révolutions vaincues; on ne le chanta jamais si bien que sous Louis XVIII et Charles X. Mais nous vivons en un siècle où l'homme peut légitimement espérer changer la face du monde; c'est dans le visage du réel que nous façonnerons désormais nos rêves, plus d'un peuple déjà sculpte son destin dans sa propre chair. Persister à faire du « Je t'aime » un mot magique qui lie, qui contraint et qui ne doit être prononcé qu'avec précaution, en certaines circonstances et selon certains rites, relève de la mentalité primitive, s'apparente au respect du trône et de l'autel. En l'an 2047, l'amour-passion apparaîtra vraisemblablement aussi périmé que le christianisme. « Je t'aime » n'aura plus cette odeur de confessionnal, ces relents de basse sorcellerie. Ce sera un appel, un cri de plaisir, un soupir de bonheur.

« Roberte et moi nous nous sommes connus en 1932, c'est déjà dans une autre ère de l'histoire du monde. Notre vie commune est abominable, nous nous séparerons certainement, j'en ai pris la ferme résolution; l'exécution ne dépend plus que de l'occasion. Mais je ne veux pas me livrer ou me prêter avec vous aux mêmes mystifications. Ce que j'aime en vous, la droiture, la santé, l'intégrité, est justement ce que votre amour pour moi détruirait, ce que le mauvais exemple de Roberte et de moi a déjà entamé.

« Je vivrai seul. Je suis trop vieux pour me chercher une compagne comme Radiguette est à

Radiguet. Au fait, je ne tiendrais pas tellement à la trouver. Mes camarades seront mes compagnons de travail ou de combat... »

Il ajouta toutes sortes de gentillesses. C'est une de ses faiblesses.

CHAPITRE IX

MILAN termina la lettre à Hélène vers les deux heures du matin. Il se réserva de la relire avant de la porter à l'école et la rangea dans un tome des *Mille et une Nuits,* sans la mettre sous enveloppe.

Il rentra dans la chambre. Roberte dormait en soufflant bruyamment, les muscles des mâchoires relâchés, le menton affaissé; cela lui arrivait de plus en plus fréquemment quand elle s'endormait ivre. Il redescendit au salon et passa la nuit sur un divan.

A l'aube, le vent tourna à l'ouest. C'était le jour de l'équinoxe. Le ciel se couvrit peu à peu, mais il ne commença à pleuvoir qu'à la fin de l'après-midi.

A dix heures, Roberte n'était pas encore descendue. Milan se prépara une tasse de thé et alla faire une promenade à l'opposé de la Prairie, du côté de la forêt. Il marcha un moment dans le sous-bois et découvrit des girolles qu'il ramassa et mit dans les poches de son imperméable. Il pensa à la décoration de la Gare maritime, en imagina les grandes lignes et fut de bonne humeur. En revenant, il aperçut dans un pré les premiers colchiques de l'année; cette fleur est liée à ses souvenirs d'enfance et à sa première lecture d'Apollinaire; il se sentit heureux.

Quand il rentra, Roberte préparait le déjeuner. Elle était sombre. A midi, elle avait déjà bu vingt dés. Ils mangèrent en silence. Après le café :

« Je vais, dit-elle, chez Radiguette.

— Embrasse-la pour moi, je l'adore. »

Il se sentait plein de bienveillance.

« Je vais prendre des leçons », insista Roberte.

Il haussa les sourcils.

« Oui, continua-t-elle, il est grand temps que j'apprenne la résignation. »

Dès qu'elle fut sortie, il chercha la lettre à Hélène dans le tome des *Mille et une Nuits* où il l'avait laissée et la retrouva aisément. Aucun indice ne prouvait que Roberte l'eût découverte. Mais il ne se rappelait plus entre quelles pages il l'avait placée ni comment il l'avait pliée, il ne put donc se faire une conviction.

Il se mit à relire l'histoire d'*Ali-Nour et de la Jeune Franque,* « farouche comme une jeune Franque », dit le conte, qui défait en combat singulier le champion du roi de Constantinople et, toute seule, met en déroute toute une armée. Il imagina la jeune Franque sous les traits d'Hélène.

Il en fit un dessin avec son armure et sur son cheval de bataille.

Un peu avant six heures, il relut la lettre, la cacheta et descendit vers le village pour la déposer à l'école. Il savait qu'Hélène ne s'y trouverait pas, retenue ce jour-là à la mairie.

Quand il eut dépassé la maison d'Auguste, le ronflement d'un moteur qui change de vitesse dans une côte le fit sursauter. Il reconnut la reprise de sa voiture. Elle surgit à vive allure, il se jeta contre la haie, Roberte passa sans ralentir, il ne sut pas si elle l'avait vu, elle prit si vite le virage suivant qu'elle ne le franchit que de justesse.

Milan déposa la lettre dans la boîte de l'école puis se dirigea vers l'auberge, mais il vit sa voiture rangée devant la porte, fit demi-tour et marcha pendant une demi-heure sur la route. Il pleuvait. Il pensa de nouveau à la décoration de la Gare maritime. Quand il revint, la voiture n'était plus devant la porte de l'auberge. Il entra.

Radiguet et Bourret étaient au comptoir avec le maréchal-ferrant. Milan leur offrit une tournée de pastis.

« Mme Milan vient de partir », dit Bourret.

Il regardait bizarrement Milan en frottant ses mains grassouillettes.

« Elle a bu sec, dit le maréchal-ferrant.

— Qu'est-ce qu'elle a bu? demanda Milan à l'aubergiste.

— Des pastis.

— Combien?

— Sept.

— C'est un fameux gosier, dit Bourret.

— Ce soir, dit le maréchal-ferrant, j'aimerais mieux partir pour Paris à pied que dans sa voiture. »

Radiguet n'avait encore rien dit. Il ôta sa casquette et l'on vit les cheveux roux qui le font ressembler à un paysan écossais. Il remit sa casquette.

« Vous ne devriez pas la laisser boire, dit-il à Milan.

— Elle est libre.

— C'est votre femme », dit Radiguet.

La nuit tomba. Radiguet offrit sa tournée, puis Bourret, puis le maréchal-ferrant, puis de nouveau Milan. On parla des tentatives des coquetiers pour saboter la coopérative de ramassage et de distribution qui venait d'être fondée. Bourret ricanait, il est contre la coopérative. Radiguet hochait soucieusement la tête, il est progressiste mais malhabile à parler. Milan raconta la réussite des coopératives agricoles en Tchécoslovaquie. Il fit nuit noire, la pluie tomba plus fort et d'une gouttière percée un gros jet dégoulina dans la cour de l'auberge.

Le commis du meunier entra.

« Mme Milan a dû s'égarer, dit-il. Vers sept heures, j'étais à la Croix, je l'ai vue arriver à toute vitesse, mais, au lieu de prendre la virage de la route, elle a continué tout droit dans le chemin qui mène à la Prairie. Moi, je suis rentré au moulin. Un peu plus tard nous avons vu la lueur d'un phare sur la Prairie, ça ne bougeait pas; on la voit toujours et à la même place. Mme Milan s'est probablement embourbée. Après les pluies de la semaine passée et le charroi du regain, les ornières sont devenues profondes. »

Ils sortirent tous et gagnèrent la place de l'église, qui est un peu plus haut que le village. Bourret, qui supporte mal l'alcool, titubait légèrement. Ils aperçurent entre les arbres, au ras des prés, la lueur immobile du phare, comme une lune naissante.

« Il faut aller la dégager, dit Radiguet.

— Je suis désolé, s'excusa Milan, de vous empêcher d'aller souper.

— Si c'est trop dur, dit le commis, venez au moulin. Le patron vous prêtera une paire de bœufs pour tirer la voiture. »

Quand ils furent sur la route, les arbres et les haies leur cachèrent la lueur. Ils marchèrent en silence sous la pluie. Le maréchal-ferrant avait emporté une torche électrique et, à partir de la Croix, ils distinguèrent nettement les traces des pneus, l'une à l'intérieur, l'autre à l'extérieur des ornières du chemin de terre.

Dans un virage, la paroi de l'ornière gauche

s'était affaissée et une large tranche d'argile, comme coupée au couteau, brilla à la lumière de la torche. Les cinq hommes se penchèrent sur la trace. Il était clair que la voiture avait dérapé, mais Roberte était parvenue à se redresser; on retrouvait aussitôt l'empreinte des pneus.

« Mme Milan conduit trop vite », dit Radiguet.

Ils atteignirent les grands prés qui précèdent la Prairie et les haies devinrent plus distantes les unes des autres.

« On devrait revoir la lueur des phares, dit Bourret.

— Elle a sans doute éteint pour épargner les accus, dit Milan. Elle est peut-être partie à pied pour demander de l'aide au moulin. »

Un peu plus loin, le chemin, sur l'espace de quelques mètres, était singulièrement ravagé, les ornières effondrées, la boue creusée, l'herbe des bas-côtés foulée, un fagot défait répandu sur le sol. Il fut facile de reconstituer ce qui s'était passé : les roues arrière embourbées, Roberte avait longtemps essayé de dégager la voiture, tantôt en avançant, tantôt en reculant, mais vainement, les pneus patinaient dans la terre grasse. Puis elle avait trouvé un fagot de long de la haie et avait disposé les branches sous les roues, d'abord les plus flexibles, en les enfonçant le plus possible, puis les plus grosses. Elle avait embrayé en marche arrière et les pneus trouvant prise sur le bois étaient sortis du bourbier. Le mystère était qu'elle n'eût pas ensuite rebroussé chemin; l'entrée d'un pré, à quelques mètres de là, lui eût permis de faire aisément demi-tour.

« C'est ici qu'elle est restée si longtemps, dit le commis. L'orientation de la lueur que nous avons vue du moulin ne laisse pas de doute. Un bouquet de peupliers, qui est juste dans l'axe du chemin, était éclairé par les phares.

— Qu'est-elle allée faire dans la Prairie? » demanda Bourret.

C'était la question qu'ils se posaient tous. Roberte ne pouvait pas ne pas s'être aperçue qu'elle s'était trompée de chemin; l'astuce du fagot, l'adresse avec laquelle les branches avaient été disposées, prouvaient assez qu'elle n'était pas aussi ivre qu'on l'avait supposé ou bien que l'enlisement et la pluie l'avaient dégrisée.

« La voiture a dû s'embourber une seconde fois, dit le maréchal-ferrant.

— On devrait voir les phares, dit Radiguet. Il n'y a plus une seule haie d'ici jusqu'à la rivière. »

Milan n'eut pas besoin de leur demander de poursuivre les recherches. Cela allait de soi. Les cinq hommes se remirent à suivre les traces parallèles des pneus. Il pleuvait toujours. Le reflet de la torche faisait briller l'eau sur le tablier de cuir du maréchal-ferrant. Milan marchait l'avant-dernier et Radiguet le dernier, Milan ralentit pour se trouver seul avec lui.

« Je ne me trompe pas, demanda-t-il, le chemin se perd bien dans la Prairie?

— A cinq cents mètres d'ici, répondit Radiguet. C'est un chemin qui ne sert que pour ramener les foins ou le bois des coupes voisines de la rivière.

— Impossible d'arriver au moulin?

— Seulement à pied, par un sentier. La route du moulin part du village. »

Ils marchèrent un instant en silence.

« Comment se termine le chemin? demanda Milan.

— Il finit brusquement au bief qui alimente l'Etang aux Tanches.

— Les biefs de la Prairie ne sont guère profonds.

— En cette saison, dit Radiguet, il y a bien deux mètres d'eau dans celui-là.

— Roberte connaît le chemin et toute cette partie de la Prairie, dit Milan. Elle est souvent allée à la pêche à l'Etang aux Tanches. »

Ils se hâtèrent pour rattraper les autres. Ils les retrouvèrent qui se tenaient côte à côte sur le bord du bief. La torche éclairait le toit de la voiture qui émergeait d'une vingtaine de centimètres à l'arrière, mais dont l'avant effleurait la surface de l'eau. Les traces parlaient. Les roues avaient escaladé tout droit le petit remblai, le pont arrière avait creusé au passage la terre molle, la chute n'avait sans doute duré qu'une seconde. Le lit du bief devait être en pente, car le moteur tout entier était sous l'eau.

Ils ne dégagèrent le cadavre qu'à l'aube. Il avait fallu emprunter deux paires de bœufs au moulin et aménager le remblai à la pelle et à la pioche. Roberte avait les mains crispées sur le volant et une blessure sur le front qui avait heurté le pare-brise. La vitre gauche était ouverte et l'eau n'avait certainement mis qu'un instant pour emplir la voiture. La femme de Milan avait dû d'abord être étourdie par le choc, puis aussitôt étouffée par l'eau. Elle ne semblait pas s'être débattue.

L'enquête que les gendarmes firent le lendemain conclut à un accident provoqué par l'ivresse.

*

« Qu'est-ce qu'elle vous a dit? demanda Milan à Radiguette.

— Des bêtises.

— Et encore?

— Des bêtises, répéta Radiguette. Tous les deux vous n'avez jamais pensé qu'à prendre du plaisir. Vous n'étiez pas plus sérieux dans la vie qu'à la chasse. Ça ne pouvait que mal finir.

« Je l'aimais bien », dit-elle encore.

*

Toute la commune suivit l'enterrement, qui eut lieu le vendredi. Milan resta jusqu'au dimanche, pour mettre la maison en ordre avant de la fermer.

Le dimanche matin, il descendit chez le forgeron pour prendre une clef qu'il avait donnée à réparer. Il rencontra Hélène devant la mairie. Ils restèrent un instant l'un en face de l'autre, immobiles et muets. Du seuil de l'auberge Bourret, Auguste, Radiguet et d'autres les observaient.

« Je vous aime quand même, dit Hélène.

— Moi aussi, dit Milan. Mais nous ne devons pas y attacher trop d'importance.

— Rappelez-vous ce que vous m'avez dit l'autre jour sur la route : « La faim, la soif, le manque « d'air ne touchent qu'une partie de nous-même. « Quand l'être aimé nous manque, nous crions « tout entiers. »

— C'est vrai, dit Milan. Je vous ai raconté que le besoin de l'être aimé devenait intolérable, le dix-septième jour après la séparation...

— Le dix-septième!

— Mais si l'on n'y cède pas, il s'efface le vingt et unième. »

Bourret et Auguste s'approchaient, comme nonchalamment.

« Je pars ce soir, dit encore Milan, je ne reviendrai sans doute jamais au village. »

Ils s'éloignèrent à grands pas, elle vers l'école, le pas ferme dans ses chaussures à talons plats, lui vers sa maison, en s'appuyant sur son bâton de houx.

L'après-midi, il était allongé sur le divan que Roberte avait placé sous une fenêtre pour que l'éclairage fût meilleur quand il lisait. On frappa. Il cria d'entrer. C'était Duval qui s'avança jusqu'au milieu de la pièce.

« Vous êtes un lâche, cria-t-il.

— Va-t'en, dit Milan.

— Hélène m'a tout raconté. Vous vous êtes joué d'elle et vous avez provoqué le suicide de votre femme. Ce n'est pas votre premier exploit. Vous avez l'habileté de ne faire que des crimes légaux. Vous êtes un sournois. Vous n'avez même pas le courage de tuer au grand jour. Vous me dégoûtez.

— Tu es un petit imbécile, dit Milan. Va-t'en!

— Je vous méprise, cria Duval.

— Va-t'en, répéta Milan. Si tu ne fous pas le camp tout de suite, je vais te casser la gueule. »

Il s'était levé et il marcha sur Duval, le bâton de houx à la main. Duval recula.

« Fous le camp, fous le camp! » gronda Milan.

Duval sortit. Milan resta sur le seuil. Quand il fut au milieu du jardin, Duval s'arrêta et se retourna :

« Vous êtes un lâche », cria-t-il de toutes ses forces.

Radiguet était en train de charger du fumier dans la cour. Milan marcha vers Duval qui s'éloigna et disparut dans le tournant du chemin de terre.

« Il est nerveux, dit Radiguet. Il doit mettre trop de chaux dans son mortier.

— C'est un jeunot, dit Milan. Mais je crois qu'il fait bien son métier. »

Radiguet posa sa fourche pour rouler une cigarette.

« Vous ne reviendrez pas au village? demanda-t-il.

— Je ne crois pas. Je vais avoir beaucoup de travail. »

A cinq heures, un taxi vint chercher Milan pour le mener au chef-lieu où s'arrêtent les rapides pour Paris. Le lendemain matin, il alla voir Louvet dans son bureau et ils discutèrent longuement du projet de décoration de la Gare maritime; la commande était ferme; Milan pouvait se mettre tout de suite au travail; il allait avoir besoin de toute une équipe de techniciens et ils mirent des noms en avant; ils parlèrent jusqu'à midi.

« Tu n'as pas besoin d'avance, dit Louvet, il doit te rester assez d'argent!

— J'ai perdu près de 200 000 francs à la roulette.

— Tu ne seras jamais sérieux.

— Je n'aime pas le jeu, dit Milan. Les passions

sont pour moi d'*occasion*. J'aimerais construire des routes dans le désert, passer six mois à casser des cailloux et dépenser ma solde en deux jours, à me soûler avec des filles.

— Cette fois, je te donne un beau caillou à casser.

— J'aime cela.

— Quel âge as-tu?

— J'ai eu quarante ans le 23, le jour de l'équinoxe.

— Comment va Roberte?

— Roberte, dit Milan, est restée au village. »

Viroflay, août 1947.

Dobris (Tchécoslovaquie), janvier-février 1948.

BRODARD ET TAUPIN — IMPRIMEUR - RELIEUR
Paris-Coulommiers. — France.
05.052-VII-6-0322 - Dépôt légal n° 4453, 2e trimestre 1965.
LE LIVRE DE POCHE - 4, rue de Galliéra, Paris.

Littérature, roman, théâtre poésie

Alain-Fournier.
Le grand Meaulnes, 1000.
Ambrière (Francis).
Les Grandes Vacances, 693-694.
Anouilh (Jean).
Le Voyageur sans Bagages suivi de *Le Bal des Voleurs*, 678.
La Sauvage suivi de *L'Invitation au Château*, 748-749.
Le Rendez-vous de Senlis suivi de *Léocadia*, 846.
Colombe, 1049.
L'Alouette, 1153.
Apollinaire (Guillaume).
Poésies, 771.
Aragon (Louis).
Les Cloches de Bâle, 59-60.
Les Beaux Quartiers, 133-134.
Les Voyageurs de l'Impériale, 768-9-70.
Aurélien, 1142-3-4.
Arland (Marcel).
Terre Natale, 1264.
Arnaud (Georges).
Le Salaire de la Peur, 73.
Audiberti (Jacques).
Le Mal court suivi de *L'Effet Glapion*, 911.
Audoux (Marguerite).
Marie-Claire, 742.
Aymé (Marcel).
La Jument Verte, 108.
Le Passe-Muraille, 218.
La Vouivre, 1230.
La Tête des Autres, 180.
Clérambard, 306.
Lucienne et le Boucher, 451.
Barbusse (Henri).
L'Enfer, 591.
Barjavel (René).
Ravage, 520.
Barrès (Maurice).
La Colline inspirée, 773.
Barrow (John).
Les Mutins du Bounty, 1022-23.
Baum (Vicki).
Lac-aux-Dames, 167.
Grand Hôtel, 181-182.
Sang et Volupté à Bali, 323-324.
Prenez Garde aux Biches, 1082-3.
Bazin (Hervé).
Vipère au Poing, 58.
La Mort du Petit Cheval, 112.
Le Tête contre les Murs, 201-202.
Lève-toi et marche, 329.
L'Huile sur le Feu, 407.
Qui j'ose aimer, 599.
Beauvoir (Simone de).
L'Invitée, 793-794.
Mémoires d'une Jeune Fille rangée, 1315-16.
Benoît (Pierre).
Kœnigsmark, 1.
Mademoiselle de la Ferté, 15.
La Châtelaine du Liban, 82.
Le Lac Salé, 99.
Axelle suivi de *Cavalier 6*, 117-118.
L'Atlantide, 151.
Le Roi Lépreux, 174.
La Chaussée des Géants, 223-24.
Alberte, 276.
Pour Don Carlos, 375.
Le Soleil de Minuit, 408.
Erromango, 516-17.
Le Déjeuner de Sousceyrac, 633.
Le Puits de Jacob, 663.
Le Désert de Gobi, 931.
Monsieur de la Ferté, 947.
Les Compagnons d'Ulysse, 1225.
Bernanos (Georges).
Journal d'un Curé de Campagne, 103.
La Joie, 186.
Sous le Soleil de Satan, 227.
Un Crime, 271.

Le Livre de Poche policier

Cain (James).
Assurance sur la Mort, **1044-45.**

Carr (Dickson).
La Chambre ardente, **930.**

Chase (James Hadley).
Eva, 936.

Cheyney (Peter).
Cet Homme est dangereux, **1097.**
La Môme vert de gris, 1197.

Christie (Agatha).
Le Meurtre de Roger Ackroyd, **617.**
Dix petits Nègres, 954.
Les Vacances d'Hercule Poirot, 1178.

Clarke (D.H.).
Un nommé Louis Beretti, **991.**

Doyle (Conan).
Sherlock Holmes : Etude en Rouge suivi de *Le Signe des Quatre,* 885-886.
Les Aventures de Sherlock Holmes, 1070-1071.
Souvenirs sur Sherlock Holmes, 1238-1239.
Résurrection de Sherlock Holmes, 1322-1323.

Eastwood (James).
La Femme à abattre, **1224.**

Hart (F.N.).
Le Procès Bellamy, **1024-1025.**

Highsmith (Patricia).
L'Inconnu du Nord-Express, **849-**850.

Hitchcock (Alfred).
Histoires Abominables, **1108-1109.**

Iles (Francis).
Préméditation, **676.**

Irish (William).
La Sirène du Mississipi, **1376-77.**

Leblanc (Maurice).
Arsène Lupin, Gentleman Cambrioleur, 843.
Arsène Lupin contre Herlock Sholmes, 999.
La Comtesse de Cagliostro, **1214-**1215.
L'Aiguille Creuse, **1352.**

Leroux (Gaston).
Le Fantôme de l'Opéra, **509-510.**
Le Mystère de la Chambre Jaune, 547-548.
Le Parfum de la Dame en Noir, 587-588.
Rouletabille chez le Tsar, **858-859.**

Queen (Ellery).
Le Mystère des Frères Siamois, 1040-41.

Sayers (Dorothy).
Lord Peter et l'Inconnu, **978.**

Simenon (Georges).
Le Chien Jaune, **869.**

Simonin (Albert).
Touchez pas au Grisbi, **1152.**

Traver (Robert).
Autopsie d'un Meurtre, **1287-1288.**

Vickers (Roy).
Service des Affaires Classées (1er recueil), 976-977.
Service des Affaires Classées (2e recueil), 1300-1301.

Very (Pierre).
L'Assassinat du Père Noël, **1133.**

Le Livre de Poche exploration

Blond (Georges).
La Grande Aventure des Baleines, **545-546.**
Bombard (Alain).
Naufragé volontaire, **368.**
Cousteau (J.-Y.) et Dumas (F.).
Le Monde du Silence, **404-405.**
Gheerbrant (Alain).
L'Expédition Orénoque-Amazone, **339-340.**
Heyerdahl (Thor).
L'Expédition du Kon-Tiki, **319-320.**
Hunt (John).
Victoire sur l'Everest, **447-448.**
Monfreid (Henry de).
Les Secrets de la Mer Rouge, **474-475.**
La Croisière du Hachich, **834-835.**
T'Serstevens.
Le Livre de Marco Polo, **642-643.**
Tazieff (Haroun).
Histoires de Volcans, **1187.**
Victor (Paul-Emile).
Boréal, **659-660.**

Le Livre de Poche encyclopédique

Boucé (E.).
Dictionnaire Anglais-Français : Français-Anglais, 376-377.
Duvernay (J.-M.) et Perrichon (A.).
Fleurs, Fruits, Légumes, 646-7-8.
Bardèche (M.) et Brasillach (R.).
Histoire du Cinéma (t. 1), 1204-1205.
Histoire du Cinéma (t. 2), 1221-1222.
Vuillermoz (Emile).
Histoire de la Musique, 393-394.
Carrel (Alexis).
L'Homme, cet Inconnu, 445-446.
Larousse de Poche, 395-396.
Ranald (Professeur Josef).
Les Mains parlent.
Favalelli (Max).
Mots Croisés (1er recueil), 1054.
Mots Croisés (2e recueil), 1223.
Duborgel (Michel).
La Pêche et les poissons de rivière, 499-500.
Pomerand (Gabriel).
Le petit philosophe de poche, 751-752.
Kinney (J.R.) et Honeycutt A.
Votre Chien, 348.
Muller (J.E.).
L'Art Moderne, 1053.
Rousseau (Pierre).
L'Astronomie, 644-645.
Lyon (Josette).
Beauté-Service.
Nadaud (Jérôme).
La Chasse et le Gibier de nos Régions, 1092-3.
Carnegie (Dale).
Comment se faire des Amis, 508.
Vincent (R.) et Mucchielli R.
Comment connaître votre Enfant, 552.
Mathiot (Ginette).
La Cuisine pour tous, 351-352.
La Pâtisserie pour tous, 1042-43.